Os
MITOS CELTAS

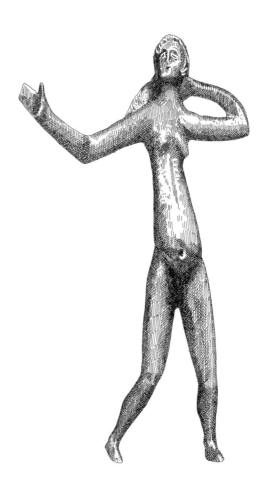

OS MITOS CELTAS
UM GUIA PARA DEUSES E LENDAS ANTIGOS

MIRANDA ALDHOUSE-GREEN

Tradução de Caesar Souza

Petrópolis

Para Stephen
amoris causa

Agradecimentos

Estou em dívida para com muitas pessoas que ajudaram este livro a acontecer. A família e amigos, que, pacientemente, suportaram minhas digressões obsessivas sobre mitos, um enorme muito obrigado. Minha maior dívida de gratidão é para com a equipe da Thames & Hudson – particularmente, Colin e Alice. Meus três gatos birmaneses – Dido, Perséfone e Taliesin – me fizeram companhia durante longas horas solitárias de escrita. A dedicação deste livro a Stephen se destina a lhe dizer o quanto o aprecio em seu apoio perene.

Falsa folha de rosto: Figurino de bronze de uma dançarina do fim da Idade do Ferro, de Neuvy-en-Sullias, França.

Frontispício: Javali de bronze do fim da Idade do Ferro, de Neuvy-en-Sullias, França.

© 2015, Thames & Hudson Ltd, Londres.
Tradução publicada mediante autorização de Thames & Hudson Ltd, Londres

Tradução realizada a partir do original em inglês intitulado *The Celtic Myths. A Guide to the Ancient Gods and Legends*

Direitos de publicação em língua portuguesa – Brasil:
2022, Editora Vozes Ltda.
Rua Frei Luís, 100
25689-900 Petrópolis, RJ
www.vozes.com.br
Brasil

Todos os direitos reservados. Nenhuma parte desta obra poderá ser reproduzida ou transmitida por qualquer forma e/ou quaisquer meios (eletrônico ou mecânico, incluindo fotocópia e gravação) ou arquivada em qualquer sistema ou banco de dados sem permissão escrita da editora.

CONSELHO EDITORIAL

Diretor
Gilberto Gonçalves Garcia

Editores
Aline dos Santos Carneiro
Edrian Josué Pasini
Marilac Loraine Oleniki
Welder Lancieri Marchini

Conselheiros
Francisco Morás
Ludovico Garmus
Teobaldo Heidemann
Volney J. Berkenbrock

Secretário executivo
Leonardo A.R.T. dos Santos

Editoração: Rafaela Milara
Diagramação e capa: Do original
Arte-finalização de miolo: Sheilandre Desenv. Gráfico
Revisão gráfica: Nilton Braz da Rocha
Arte-finalização de capa: Editora Vozes

ISBN 978-65-5713-671-3 (Brasil)
ISBN 978-0-500-25209-3 (Reino Unido)

Este livro foi composto e impresso pela Editora Vozes Ltda.

Dados Internacionais de Catalogação na Publicação (CIP)
Câmara Brasileira do Livro, SP, Brasil)

Aldhouse-Green, Miranda
   Os mitos celtas : um guia para deuses e lendas antigos / Miranda Aldhouse-Green; tradução de Caesar Souza. – Petrópolis, RJ : Vozes, 2022.

   Título original: The Celtic Myths
   ISBN 978-65-5713-671-3

   1. Celtas – Religião 2. Mitologia celta I. Título.

22-114037
CDD-299.16

Índices para catálogo sistemático:
1. Mitologia : Religião celta 299.16

Eliete Marques da Silva – Bibliotecária – CRB-8/9380

SUMÁRIO

Prelúdio
O mundo celta: espaço, tempo
e evidências 10

1
A oratura: criando mitos 15

2
Os narradores de mitos 38

3
Uma pletora de espíritos irlandeses 58

4
País de Gales encantado: uma terra mágica 77

5
A porção do campeão: heróis míticos 98

6
Animais encantadores e entes inquietos 116

7
Ligações perigosas:
regimentos monstruosos de mulheres 138

8
Terra e água: uma ebulição de espíritos 156

9
Céu e inferno: o paraíso e
o Além-Mundo 176

Fim
Paganismo e cristianismo:
a transformação do mito 197

Leitura complementar 202
Fontes de citações 203
Índice 205
Sobre a autora 208

Então, Conchubar, o mais sutil dos homens,
Classificando seus druidas à sua volta de dez em dez,
Falou assim: "Cuchulain lá habitará e ficará remoendo
Por mais três dias em terrível quietude,
E, então, erguer-se-á e nos matará a todos,
Cantará em seu ouvido ilusões mágicas,
De que pode combater os cavalos do mar".
Os druidas os levaram ao seu mistério,
E cantaram por três dias.
"A LUTA DE CUCHULAIN COM O MAR", DE W.B. YEATS

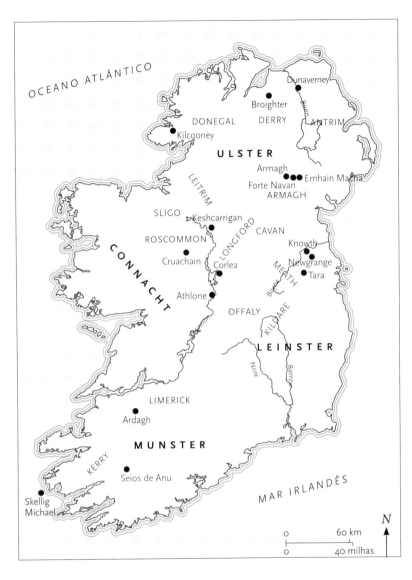

Mapa da Irlanda com regiões e locais mencionados no texto

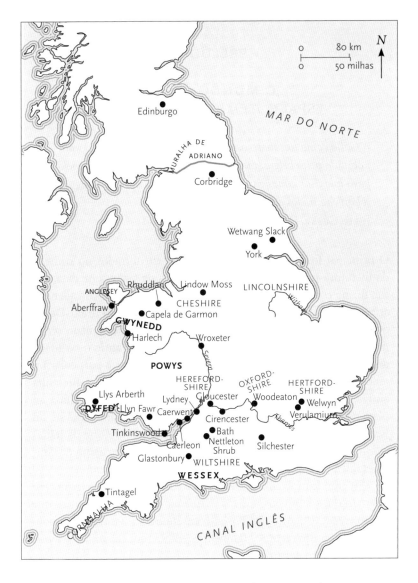

Mapa da Inglaterra e País de Gales com regiões e locais mencionados no texto

• PRELÚDIO •

O MUNDO CELTA:
ESPAÇO, TEMPO E EVIDÊNCIAS

*A Gália como um todo consiste em três partes separadas: uma é
habitada pelos belgas; outra, pelos aquitanos; e a terceira, pelo
povo que chamamos gauleses, embora, em sua própria língua,
sejam chamados celtas.*
JÚLIO CÉSAR, DE BELLO GALLICO, 1.1

O principal foco deste livro são os mitos encontrados no começo
da literatura medieval da Irlanda e do País de Gales, que data, em
sua forma escrita, do século VIII ao XIV d.C. Foi com considerável
apreensão que iniciei um livro com o termo "celta" no título. Desde
o começo da década de 1990, arqueólogos têm questionado seria-
mente o uso dessa palavra para definir os povos antigos da Idade
do Ferro da Europa ocidental e oriental. Um opróbrio particular foi
vinculado ao uso de "celtas" quando se referindo à Grã-Bretanha
antiga. Embora a pletora de autores do mundo clássico aluda ao
povo da Gália (de modo geral, França, Suíça, Alemanha a oeste do
Reno, partes do norte e do leste da Ibéria e extremo norte da Itália)
como sendo celtas, nenhum autor antigo jamais falou assim da Grã-
-Bretanha. Os romanos chamavam os britânicos de *britanni*.

Um grande problema que o grupo anticelta tem com o termo, em
referência aos europeus antigos, é que ele ofusca as diferenças que
claramente existiam entre povos com culturas e visões de mundo
amplamente divergentes. Também significa que algumas regiões,
como o extremo norte da Europa, são excluídas do guarda-chuva celta,
mesmo que muitas similaridades culturais entre essas áreas e aquelas
mais ao sul possam ser identificadas em evidências arqueológicas.
Júlio César conhecia a Gália intimamente porque ele e seu exército
se instalaram lá por aproximadamente dez anos. A abertura de seu

De Bello Gallico ("Sobre a Guerra Gálica") falou sobre a agora famosa divisão do país em três grupos culturais importantes: os aquitanos do oeste, os belgas no leste e os celtas, que ocupavam o centro da Gália. César declarou especificamente que esse último grupo se identificava como celta. Isso é importante. Basicamente, é impossível provar autodeterminação para comunidades pré-históricas, porque elas não eram alfabetizadas e, portanto, não há evidências escritas destas. Mesmo o uso do nome "celtas" por César pode não ter sido mais do que a sua apresentação de uma clara divisão que, de fato, mascarava enormes divergências dentro desse grupo.

A despeito dos problemas de entrelaçar identidades antigas e do começo da Idade Média, uma coisa importante as une: a língua. Onde há evidências, por exemplo, das primeiras e raras inscrições ou de nomes de lugares registrados nas geografias greco-romanas, parece que as línguas celtas conhecidas e faladas hoje tinham suas raízes firmemente na Antiguidade, pois são rastreáveis nas palavras do gaulês, do celtiberiano e do britânico antigo. É verdade que a língua não equivale à etnicidade, mas fornece um tecido conectivo poderoso. É amplamente reconhecido, por exemplo, que o uso da língua inglesa fora do Reino Unido leva consigo certa quantidade de bagagem cultural, a despeito dos enormes golfos culturais entre os países anglófonos.

Nomes são essencialmente rótulos. A Grécia antiga abrangia uma série de cidades-estados – Atenas, Esparta, Corinto e várias outras – unidas por uma língua comum, mas que se consideravam completamente distintas. O Império Romano incluía uma grande área do mundo antigo: da Grã-Bretanha à Arábia as pessoas se consideravam pertencentes tanto às suas comunidades locais como também a Roma. Assim, nos Atos dos Apóstolos da Bíblia, Paulo de Tarso, confiantemente, afirma ser um *civis romanus*, um cidadão de Roma, embora fosse, ao mesmo tempo, membro de um Estado da Judeia extremamente independente. Portanto, a pergunta que podemos fazer é esta: o uso do termo "celta" é menos legítimo *como um rótulo* para descrever povos com certos elementos culturais importantes compartilhados do que os termos "grego" ou "romano"? Acho que não.

Outro problema a ser considerado é a origem do termo "celta" como usado para descrever as línguas e os povos que agora consideramos tacitamente celtas: irlandeses, galeses, escoceses, córnicos, maneses, bretões e galicianos. Foi o estudioso clássico do século XVI, George Buchanan, quem primeiro desenvolveu a noção dos celtas como um grupo unificado de povos vivendo na Irlanda e no continente britânico. Assim, o conceito de celticidade, como aplicado ao País de Gales, à Irlanda e a outras regiões no extremo oeste da Europa, é comparativamente moderno (em contraste com o uso que César fez do termo na Antiguidade para aqueles celtas que encontrou no continente). Contudo, a autoidentidade como celta é enormemente importante para os habitantes das nações celtas modernas, como a Irlanda e o País de Gales. Se as pessoas se consideram possuidoras de certa identidade, isso, em si, dá credibilidade para essa autodeterminação. Pois, originalmente, de que outro modo as identidades seriam criadas?

Onde essa pergunta pela etnicidade deixa o problema da mitologia celta? Ao tentar estabelecer conexões entre as cosmologias apresentadas no começo da literatura medieval pagã e os primeiros registros arqueológicos da Idade do Ferro e do período romano da Gália e da Grã-Bretanha há um problema importante a ser enfrentado. Os textos míticos pertencem, principalmente, ao País de Gales e à Irlanda, embora a maior parte das evidências arqueológicas para o paganismo "celta" seja encontrada no que, agora, é a Inglaterra e o continente próximo. Assim, há uma disparidade geográfica entre a Idade do Ferro e as evidências romanas, de um lado, e o lar da literatura mítica celta, do outro. Mas, embora as mitologias gaulesa e britânica medievais cognatas àquelas do País de Gales e da Irlanda estejam amplamente perdidas, isso não quer dizer que não tenham existido. Na verdade, há fortes indícios de que cosmologias compartilhadas estiveram outrora presentes. Um ótimo exemplo é o Calendário de Coligny (cf. p. 174), da Gália Central, escrito em gaulês e datando da parte inicial do primeiro milênio d.C.; menciona o Festival de Samonios que tem de ser o mesmo que a celebração do

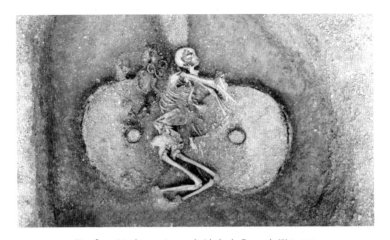

Biga funerária de uma jovem da Idade do Ferro, de Wetwang, leste de Yorkshire, encontrada em 1984.

Ano-novo irlandês de Samhain. E há muitos mais que são explorados pelos capítulos seguintes. Contudo, os mitos celtas não podem ser reconhecidos como uma janela para a Idade do Ferro. Pesquisas provaram, de forma categórica, que objetos irlandeses minuciosamente descritos nos mitos – como as armas e a biga de Cú Chulainn – eram como os do começo da Idade Média, e não pré-históricos.

Embora este livro seja sobre literatura mítica, esses textos necessitam ser colocados no contexto; portanto, onde for relevante, também contém olhares em retrospecto para essas primeiras evidências fornecidas pela arqueologia, e se dirige para o leste, para além das fronteiras do Ocidente celta, para considerar possíveis origens de personagens e rituais míticos nas culturas antigas dos *britanni* e dos *galli*. A combinação de literatura e cultura material fornece um rico caleidoscópio de crenças e relações antigas entre os povos e os seus deuses nos extremos ocidentais do mundo conhecido, num tempo em que paganismos locais estavam confrontando novas religiões. Para os antigos bretões e gauleses, seus cultos e suas práticas da Idade do Ferro tiveram de se adaptar e absorver os *costumes* religiosos de Roma. Mais tarde, foi o cristianismo o maior desafio do paganismo celta.

> **Notas sobre a pronúncia**
>
> Não se desmotive com as estranhas pronúncias dos nomes irlandeses e galeses. A pronúncia pode ser um campo minado, mas aqui estão alguns exemplos que podem ajudar.
>
> | | |
> |---|---|
> | **Pwyll** | Pooilth |
> | **Matholwch** | Matholooch (a ênfase está na segunda sílaba) |
> | **Culhwch** | Keelooch |
> | **Medbh** | Mayve |
> | **Cú Chulainn** | Coo Hulayn (ênfase na primeira sílaba da segunda palavra) |
> | **Oisin** | Oysheen |

Um aspecto das evidências arqueológicas não serve apenas para conectar grande parte da Europa da Idade do Ferro, mas também para chegar ao começo do período medieval: a arte. A arte celta (ou *La Tène*) teve sua origem em meados do primeiro milênio a.C. Sua rica e variada maestria, que se inspirava no mundo natural e no surrealismo forjado nos sonhos da imaginação espiritual, assumia muitas formas. Todavia, há uma unidade abrangente, em como os artistas e os consumidores de seus produtos percebiam e expressavam seu mundo. Elementos dessas formas de ver perpassavam o tempo não apenas para influenciar o começo da arte cristã, como testemunhado pela decoração nas cruzes celtas, por exemplo, mas também os próprios mitos celtas medievais. E é assim que cabeças mágicas, deidades triplas, caldeirões encantados e criaturas semi--humanas estão igualmente em casa na arte da Idade do Ferro e nas mitologias posteriores. Como agentes para a manutenção dessas tradições ao longo do tempo, será que necessitamos olhar para além dos druidas como senhores do tempo e curadores do passado? Autores clássicos, como Júlio César, falam sobre os druidas na Gália e na Grã-Bretanha como líderes religiosos e professores, em cuja posse estavam as tradições orais sagradas dos ancestrais.

• 1 •

A ORATURA: CRIANDO MITOS

E, após a névoa, vede, cada lugar ficou cheio de luz. E quando viram o modo como, antes disso, estavam acostumados a ver os bandos, os rebanhos e as moradas, não puderam ver mais: nem casa nem animal, nem fumaça nem fogo, nem humanos nem morada, mas as casas da corte vazias, desoladas, inabitadas, sem pessoas, sem animais dentro delas, seus companheiros perdidos, nenhuma informação sobre eles, exceto por eles quatro.
"O TERCEIRO RAMO DOS MABINOGI"

Mitos, como fábulas, são coisas elusivas. Filmes de horror modernos, seja sobre vampiros, fantasmas ou múmias egípcias ressuscitadas, são possivelmente aceitáveis porque permitem que as pessoas explorem os aspectos mais obscuros da natureza humana em um ambiente seguro. Em um sentido, o mesmo vale para os mitos, mas estes são muito mais complicados. Isso se deve, em parte, ao fato de serem quase sempre associados a crenças religiosas – e, muitas vezes, à magia – e também porque em histórias míticas estão contidas respostas para algumas das preocupações humanas mais fundamentais: Quem somos? Por que estamos aqui? Por que o mundo é assim? Como o mundo foi criado? O que acontece conosco quando morremos? Mitos também exploram problemas relacionados a ritos de iniciação: nascimento, puberdade, casamento e morte. Alguns, particularmente aqueles do mundo celta, são muito preocupados com moralidade – bem e mal, castidade, violência, estupro e traição, guerra e ética –, com papéis de gênero, virgindade, maternidade e virilidade; e com os ideais de comportamento feminino e masculino.

Mitos florescem em sociedades onde essas questões não são respondíveis por meio de explicações racionais. São histórias simbólicas, destinadas a explorar esses temas de um modo compreensível. Mitos podem servir para explicar a criação, fenômenos naturais e desastres naturais (como inundações, secas e doenças), as transições misteriosas de dia e noite, os corpos celestiais e as estações. Eles são, muitas vezes, associados aos sonhos e às visões dos assim chamados "santos", pessoas (de ambos os gêneros) com habilidade para ver o futuro e o mundo do sobrenatural. Mitos são habitados por deuses e heróis, e falam sobre a relação entre os mundos sobrenatural e material. Podem fornecer explicações divinas para as partidas de pessoas passadas, seus monumentos e cemitérios abandonados, suas casas e seus lugares de reunião. Mitos podem explicar a origem de inimizades entre comunidades e disputas sobre território. Finalmente, mitos

Passagens para os espíritos

Nenhuma pessoa jamais caminhou para fora do pântano senão depois que Eochaid ordenou seu assistente a observar o esforço que empreenderam em fazer o pontilhão. Todos os homens fizeram uma pilha com suas roupas, e Midir subiu nessa pilha. Continuaram jogando na base do pontilhão uma floresta com seus troncos e raízes, Midir em pé e encorajando a multidão.

DE "A CORTE DE ETAIN"

Passagem de madeira ao longo de um pântano irlandês, construída em 148 a.C. em Corlea, Condado de Longford.

A ORATURA: CRIANDO MITOS

são, muitas vezes, histórias altamente divertidas, que podem fazer passar o tempo em uma noite escura de inverno diante do fogo.

● INTRODUZINDO OS MITOS GALESES E IRLANDESES ●

Os principais mitos do País de Gales e da Irlanda estão contidos nos manuscritos medievais que datam dos séculos VIII ao XIV d.C., em sua forma ainda existente. Três ciclos de histórias irlandesas em prosa contêm as principais fontes sobreviventes da mitologia irlandesa. O mais antigo em sua forma escrita é o *Ciclo do Ulster*, cujo foco é a história épica da guerra entre Ulster e Connacht, o *Táin Bó Cuailnge* (*O roubo do gado de Cooley*), descrevendo o grande herói Ulster Cú

Achados arqueológicos ajudam a conectar os ciclos míticos às suas origens antigas. Em meados do século II a.C., uma comunidade em Corlea, no Condado de Longford, na Irlanda central, construiu um grande pontilhão de madeira ao longo de um banhado para secar a terra. A dendrocronologia estabeleceu que os carvalhos usados para construir essa passagem foram derrubados em 148 a.C. Sob as fundações, foi encontrada uma estranha imagem semi-humana, semianimal, esculpida em freixo, talvez como um depósito de fundação, para abençoar a nova estrada. O caminho pode ter sido construído em seções por diferentes grupos de pessoas; certamente uma seção nunca foi completada, pois havia ao menos um vão.

Certos mitos irlandeses fazem referência à construção de passagens através de pântanos. Na história do divino Midhir e seu amor Étain, Eochaid, rei de Tar, deu ao deus a "impossível" tarefa de construir uma estrada de madeira ao longo de um pântano intransitável. Outra história relata uma querela entre duas comunidades que começaram a construir uma passagem sobre um solo pantanoso a partir de lados opostos, encontrando-se no meio. Tendo quase terminado o trabalho, os dois grupos se desentenderam sobre seu término, e a ponte nunca foi terminada. Poderia esse ser o pontilhão de Corlea? Poderiam os primeiros contadores de histórias ter entrelaçado em suas narrativas os restos de estradas que ainda eram visíveis no começo da era medieval?

A ORATURA: CRIANDO MITOS

Páginas dos primeiros manuscritos de mitos irlandeses e galeses. À esquerda: de *O livro da vaca Dun*, um texto do século XI contendo a mais antiga recensão do *Táin*. À direita: do *Livro vermelho* galês de Hergest, um dos mais antigos compêndios dos Mabinogi.

Chulainn e a ignóbil Rainha Medbh de Connacht. Historicamente, a província de Ulster havia perdido sua influência política ao fim do século V d.C. Sua proeminência no *Táin Bó Cuailnge* argumenta a favor das origens iniciais do ciclo. A primeira recensão (cópia) sobrevive em fragmentos no *Livro da vaca Dun*, do século XI, mas a linguagem usada aqui pertence mais propriamente ao século VIII ou IX. Outra fonte importante para o *Ciclo do Ulster* é o *Livro amarelo de Lecan*, do século XI. As outras duas coleções – o *Ciclo mitológico* e o *Ciclo feniano* (ou *Ciclo de Finn*) – sobrevivem em versões do século XII. A primeira delas contém a maior variedade e apresenta descrições vívidas das deidades pagãs; o foco do *Ciclo feniano* é a vida do epônimo Finn, líder heroico de um famoso bando de guerra e guardião da sabedoria divina.

Os mitos galeses estão preservados em duas coleções principais de histórias: o *Livro branco de Rhydderch* e o *Livro vermelho de Hergest*. O *Livro branco* foi reunido por volta de 1300, e o *Livro vermelho*, no fim do século XIV. As histórias mais ricas de conteúdo mítico são *Pedeir Ceinc y Mabinogi* (*Os quatro ramos [seções] dos Mabinogi*), conhecido coloquialmente como os Mabinogion, e "Culhwch e Olwen". Outros materiais importantes estão contidos em outras histórias, incluindo "Peredur", "O sonho de Rhonabwy" e a história fragmentária "Os espólios de Annwfn". Outro ramo do mito lida em detalhes com a figura heroica do Rei Artur e a busca pelo Santo Graal. É apresentado nos romances arturianos franceses medievais, cujo autor mais conhecido foi Chrétien de Troyes. Artur também faz várias aparições nos mitos galeses, particularmente em "Culhwch e Olwen" e "Peredur", ambas histórias de heróis.

● VOZES MÍSTICAS: CONTAÇÃO DE HISTÓRIAS – ● DA APRESENTAÇÃO ORAL À PALAVRA ESCRITA

Mitos celtas têm sua gênese em tradições antigas de contação de histórias, de apresentação ao vivo. Assim como músicos podiam viajar de corte em corte para divertir a nobreza, ou artesãos qualificados, para cumprir encomendas de uma nova armadura ou de uma taça de vinho decorativa, os poetas e os contadores de histórias também faziam seu trabalho. Muitos eram artistas peripatéticos e, em suas viagens, difundiam histórias comuns de lugar em lugar. Outros, como bobos da corte medieval, pertenciam a salas particulares, e talvez suas histórias tivessem um sabor mais local. Mas, como as histórias eram mantidas nas cabeças das pessoas, desenvolveram-se e se adaptaram organicamente, e duas contações não seriam exatamente iguais. Assim, por exemplo, contadores de histórias que eram visitantes poderiam entremear características da paisagem local – montanhas, rios e árvores – às suas histórias para a apreciação particular das audiências locais. Essas histórias míticas

Pedras oraculares

As esculturas de pedra pré-cristãs da Irlanda e do País de Gales podem representar os contadores de histórias em ação. Elas retratam cabeças humanas, e algumas de suas bocas estão escancaradas como se estivessem falando ou cantando. Um entalhe único de Newry, Condado de Armagh, é chamado de Ídolo Tanderagee. É a imagem de um homem falando: sua boca de lábios grossos se escancara, e ele parece vestir um adorno de cabeça com chifres; a mão direita se encontra diagonalmente através do corpo, na atitude típica de um orador, mas segura algo que pode ser uma pedra mágica. É tentador interpretar essa imagem como a de um vidente ou xamã, que porta a insígnia animal que denota seu *status* de metamorfo, capaz de conversar com os deuses e promover a sabedoria deles à sua comunidade. Xamãs tradicionais, muitas vezes, assumem as personalidades de animais porque, segundo a crença, possuem vínculos

Ulster Museum, Belfast
Figura de pedra da Idade do Ferro conhecida como Ídolo Tanderagee, talvez uma antiga imagem de um contador de histórias irlandês, do Condado de Armagh.

eram vivas, mudavam e se desenvolviam com o tempo e eram adornadas de acordo com a capacidade dos narradores e as experiências da comunidade que ouvia as histórias.

"Nosso costume, senhor", dizia Gwydion, "é que, na primeira noite em que nos dirigimos a um grande homem, o poeta principal se apresenta. Ficaria feliz em contar uma história". Gwydion era o melhor contador de histórias do mundo. E, naquela noite, ele entreteria a corte com anedotas e histórias divertidas, até que fosse admirado por todos, e Pryderi desfrutasse da conversa com ele.

"O quarto ramo dos Mabinogi"

particularmente estreitos com o Além-Mundo. Portanto, xamãs, muitas vezes, vestem mantos de peles de animais ou chifres. O Ídolo Tandaragee não foi precisamente datado, mas é provável que pertença ao fim da Idade do Ferro ou ao começo do período medieval.

O País de Gales produziu suas próprias "pedras oraculares" antigas. A cidade romana de Caerwent, no sudeste, foi a capital dos silures, uma tribo ferozmente hostil à invasão romana de seu território em meados do século I d.C. A cidade se desenvolveu mais tarde, e grande parte de seus prédios públicos data do século IV. No fundo do jardim de uma pessoa rica, foi encontrado um pequeno santuário, no qual estava uma cabeça esculpida em arenito, com sua boca escancarada, uma vez mais como se estivesse falando ou cantando. É fácil imaginar visitantes do pequeno santuário ouvindo a voz dos espíritos por meio de uma cabeça falante mágica.

Newport Museum & Art Gallery
Cabeça em arenito romano-britânica posterior, de Caerwent, sul do País de Gales, com a boca aberta, talvez uma "pedra oracular".

A palavra galesa para contador de histórias medievais era *cyfarwydd*, e seu significado é fundamental para entender o papel e o *status* dos contadores de histórias na sociedade, pois, nessa palavra, encontramos um pacote inteiro de funções: guia, pessoa versada, especialista, perceptiva. Contadores de histórias eram poderosos, pois eram curadores da tradição, da sabedoria e do conhecimento ancestral, que serviam para unir comunidades e dar profundidade e significado ao seu mundo. Não bastava ser capaz de lembrar e recitar uma boa história: histórias necessitavam ser cuidadosamente construídas e eram carregadas de significação.

Pouco sabemos sobre a contação de histórias em ação. Contudo, apenas ocasionalmente, somos autorizados a dar uma olhada na experiência dos profissionais contadores de histórias. É especialmente raro isso ocorrer nas próprias histórias, mas "O quarto ramo dos Mabinogi" nos dá um relance da experiência dos *cyfarwydd*. O mágico Gwydion aparece na corte do senhor galês Pryderi em Rhuddlan Teifi (oeste do País de Gales) e oferece seus serviços como *cyfarwydd*. Ele passa a noite entretendo a corte e é declarado o melhor contador de histórias já conhecido. Gwydion é festejado por todos os cortesões, especialmente pelo próprio Pryderi.

A contação de histórias galesa medieval era próxima da poesia, e, muitas vezes, o poeta e o *cyfarwydd* eram a mesma pessoa. Certamente, audiências modernas só podem acessar as histórias por meio de suas formas escritas, mas, mesmo assim, seus começos como histórias oralmente transmitidas são, por vezes, traídos por vários truques da ocupação. Cada episódio é curto e autocontido,

---

Monstros necessários: dos zoológicos míticos à cantina de *Guerra nas estrelas*

Então, tornaram-se dois guerreiros, dilacerando-se um ao outro. Depois, dois fantasmas, assombrando um ao outro. Depois, dois dragões, fazendo cair neve na terra um do outro. Eles caíram do ar, e se tornaram dois vermes. Um deles entrou na fonte do Rio Cronn, em Cuailnge, onde uma vaca que pertencia a Dáire mac Fiachna bebia. O outro entrou na fonte do poço Garad, em Connacht, onde uma vaca que pertencia a Medbh e Ailill bebia. Deles, sob essa forma, surgiram dois touros: Finnbennach, o chifrudo branco; e o touro negro de Cuailnge.

DO *TÁIN BÓ CUAILNGE*

O prefácio à edição de 1957 da coleção de ensaios de Jorge Luis Borges chamada *O livro dos seres imaginários* contém o comentário de que monstros sempre espreitarão histórias míticas, porque os animais reais são uma parte profundamente importante da experiência humana e porque entes monstruosos são combinações dos reais e dos imaginados, o estofo de pesadelos e sonhos. O centauro mítico clássico, que combina as formas de homem e cavalo, tem sua contrapartida celta na cavaleira galesa Rhiannon. O minotauro cretense, uma mistura repulsiva de touro

como que para ajudar os ouvintes (e os próprios contadores de histórias) a se lembrarem. Palavras e frases são muitas vezes repetidas também para ajudar a memória. Um terceiro mecanismo também aponta nessa direção, a saber, a "descrição onomástica", o gancho mnemônico fornecido pelas explanações de nomes pessoais e de lugares. Depois, há o uso do número, usualmente "três", que serve como um número mágico e como um modo de construir a narrativa para mantê-la na mente.

As histórias galesas são ricas em diálogo, exigindo que diferentes vozes desempenhem vários papéis na narrativa, de monstros a virgens, e de velhos sábios a meninos, assim como uma variedade de animais rosnantes e guinchantes. Há listas sonoras de nomes e riquezas que têm de ser declamadas em voz alta. Há poesia no diálogo e na repetição de perguntas dentro de respostas ou de comandos com

e humano, pode talvez ser visto transmutado na mitologia irlandesa para se tornar os grandes touros lutadores de Ulster e Connacht, que tinham fala e compreensão humanas, ou, no País de Gales, o javali encantado Twrch Trwyth. Borges chega, inclusive, ao ponto de argumentar que monstros são "necessários" para a sociedade humana. Em nossos dias, fascinados pelo espaço e pela possibilidade de mundos além do nosso, conjuramos imagens fantásticas de monstros galácticos, em nenhuma outra parte mais claramente apresentados do que na cantina de *Guerra nas estrelas*, onde Skywalker e Solo encontram uma coleção de entes estranhos e maravilhosos de todas as partes do universo. Assim são nossas criações míticas modernas.

Ilustração © Anne Leaver
Estatueta de bronze de um cavalo com cabeça humana em um jarro de vinho de um túmulo do século IV a.C., em Reinheim, Alemanha.

aceitações, os quais, uma vez mais, servem para ajudar a ouvir e a lembrar.

Mas o que torna as histórias medievais galesas e irlandesas algo mais do que poesia oral, e as transforma em mitos, é o elemento do sobrenatural e a presença dos deuses. As histórias em prosa irlandesas parecem ser versões escritas de histórias verdadeiramente antigas, nas quais o paganismo predominava e onde os deuses eram onipresentes. Os panteões pagãos são menos óbvios no material galês, e, de fato, há menção frequente do Deus cristão aqui. Contudo, raspe a superfície e lá se oculta uma rica tapeçaria de figuras sobrenaturais, deidades, xamãs e metamorfos que, certamente, não têm lugar na tradição cristã.

● A ARTE DO MITO E O MITO DA ARTE ●

As evidências de artefatos nos ajudam também a preencher a lacuna entre a assumida origem muito antiga desses ciclos mitológicos e suas formas escritas. Como os celtas continentais e britânicos antigos não usavam a escrita, nenhuma literatura mítica existe antes do primeiro período medieval. Para que possamos ter alguma chance de reconhecer se esses mitos antigos estiveram de fato em circulação durante a Idade do Ferro e o período romano, o único lugar para encontrá-los é na chamada iconografia "narrativa", que contém múltiplas imagens conectadas que parecem contar uma história. Mas, mesmo que fosse possível identificar esses artefatos, é impossível fazer mais do que uma hipótese arriscada quanto aos possíveis significados.

Passe os olhos em qualquer livro sobre a arte celta e encontrará uma fabulosa diversidade de criaturas imaginárias, as quais são baseadas no mundo natural, mas tratadas de um modo que, no século XX, teria sido chamado surreal. Cobras têm chifres de carneiros, pessoas têm três faces, touros têm três chifres, cavalos têm cabeças humanas, homens portam chifres de cervos macho alfa, e a cabeça humana é a imagem predominante.

A arte celta teve seu apogeu entre os séculos V e I a.c., mas, nas fronteiras do oeste e do norte da Grã-Bretanha, continuou a florescer por muito tempo durante a era romana, até, ao menos, o século II d.C. Na Irlanda, onde praticamente não houve interrupção com o ingresso das tradições culturais romanas, estilos artísticos locais sobreviveram à introdução do cristianismo. A alta arte insular cristã expressa nos manuscritos iluminados e nas cruzes de pedra do começo da Idade Média inclui descrições diretamente inspiradas no repertório mítico do passado pagão: o número três, a cabeça humana e estranhas criaturas híbridas. Isso significa, é claro, que a vertente mais tardia da arte celta coexistiu com o nascimento da literatura mítica.

• MOTIVOS MÍTICOS •

Contar histórias é a arte da narrativa falada. Certos dispositivos ou temas recorrentes eram usados nas histórias míticas celtas, e, quando as exploramos mais, padrões e motivos emergem com frequência. Esses elementos não apenas marcam as histórias como tendo raízes em uma tradição oral de criação de mitos, mas também mostram preocupações importantes das sociedades nas quais viveram. Crucialmente, muitos desses motivos encontrados nos mitos são também testemunhados pelas evidências físicas da arqueologia, como mostram os três exemplos a seguir.

O caldeirão encantado

Certo dia, estava caçando na Irlanda, no topo de um monte com vista para um lago, que estava na Irlanda, e era chamado o Lago do Caldeirão. E avistei um homem grande com um cabelo vermelho-amarelado vindo do lago com um caldeirão em suas costas. Além disso, ele era um homem monstruoso, grande, com aspecto mau de bandido, e uma mulher o seguia. E, se ele era grande, a mulher era duas vezes maior que ele; e ambos vieram em minha direção e me cumprimentaram. "Essa mulher", disse

ele, "no fim de um mês e quinze dias, engravidará, e o filho que depois nascerá desse útero, no fim de um mês e quinze dias, será um guerreiro completamente armado".
"O SEGUNDO RAMO DOS MABINOGI"

Uma característica persistente da mitologia irlandesa e da galesa é o tema do caldeirão mágico, uma vasilha capaz de levantar os mortos e de fornecer sempre mais alimentos. O deus irlandês Daghdha ("o Deus Bom") possuía um caldeirão inesgotável enorme. O foco central do banquete do Além-Mundo irlandês era o caldeirão, que nunca ficava sem comida. Um mito do caldeirão irlandês estava associado ao reinado sagrado, em que o novo rei de Ulster tinha de se banhar em um, enquanto consumia a carne e o caldo de uma égua branca com quem tinha ritualmente "se casado".

Os mitos de caldeirão se espalharam dos dois lados do "lago celta". Em "O segundo ramo dos Mabinogi", o irmão da heroína Branwen dá ao esposo dela um caldeirão sobrenatural regenerador da vida, e o rei irlandês responde admitindo seu conhecimento prévio sobre a vasilha, relatando como suas origens eram, de fato, irlandesas. Fica claro, a partir da história que a vasilha emanava do Além-Mundo (cf. citação anterior) e sua associação à reencarnação, como o caldeirão do Daghdha apoia isso.

Foram encontrados muitos caldeirões na Irlanda, na Escócia e no País de Gales, colocados em um pântano ou em um lago como um evento ritual, aparentemente como resultado de crenças sobre a conexão entre caldeirões e água. Já em 700 a.C., dois belos caldeirões feitos de folhas de bronze foram depositados, com outros artefatos, em um lago remoto chamado Llyn Fawr, no sul do País de Gales, provavelmente um santuário visitado por peregrinos de vários lugares. A afinidade entre caldeirões e água pode ter tido suas origens nos poderes vitais e regenerativos de lugares aquosos e de vasilhas contendo líquidos.

O caldeirão Gundestrup, feito no século I a.C., é a vasilha mais espetacular da Idade do Ferro encontrada até agora, particularmente interessante como um candidato muito provável para a expressão do

> ## O caldeirão de Ceridwen
>
> Uma história mítica galesa, preservada em um texto do século XIII, *O livro de Taliesin*, contém uma rica história de um caldeirão encantado, cujos conteúdos dotavam de conhecimento e inspiração aqueles que comiam ou bebiam dele. O guardião do caldeirão era Ceridwen, que pariu duas crianças – Crearwy ("a luz" ou "a bela") e Afagddu ("negro" ou "feio"). Com o desejo de compensar seu filho por sua aparência desfavorável, a mãe misturou uma bebida especial no caldeirão, destinada a lhe dar sabedoria absoluta. Como a poção necessitava ferver por um ano, Ceridwen incumbiu um menino, Gwion, para vigiá-lo. Enquanto o menino cuidava da poção, três gotas do líquido escaldante respingaram em sua mão, e, sem pensar, ele lambeu seus dedos, adquirindo, assim, inadvertidamente, a sabedoria destinada a Afagddu. A fuga e a perseguição de Gwion pela furiosa Ceridwen terminou provocando o renascimento de Gwion como o grande poeta visionário Taliesin.

mito narrativo. Suas imagens registram cenas narrativas complexas e interconectadas. O caldeirão foi encontrado no centro da Jutlândia em 1891. Feito de placas de folha de prata douradas, densamente decorado com imagens em relevo, era capaz de conter 130 litros. É único em termos de descobertas arqueológicas; foi claramente muito precioso, e a natureza de sua ornamentação o proclama como uma vasilha sagrada, usada nos contextos rituais mais elevados. Foi construído com sete placas externas e cinco internas, além de uma placa de base. O caldeirão foi encontrado deliberadamente desmontado em suas partes constituintes, empilhadas de forma cuidadosa e enterradas profundamente em um pântano.

Cada uma das placas internas maiores retrata uma cena complexa. Na primeira, um exército celta marcha para a batalha, com os mortos sendo ressuscitados ao serem mergulhados em um tanque por um ente sobrenatural, todos observados por uma cobra com chifres de carneiro, com sua natureza híbrida refletindo, talvez, um papel de mediador entre mundos. Uma segunda cena retrata uma deidade com chifres como senhora dos animais, acompanhada por várias feras,

Nationalmuseet, Dinamarca
Caldeirão de prata dourada, retratando deidades e cenas mitológicas, encontrado em uma ilha seca em um pântano em Gundestrup, na Jutlândia, Dinamarca; século I a.C.

incluindo um cervo e uma segunda serpente com chifres de carneiro. A terceira mostra um deus celestial com seu círculo solar, com vários animais estranhos, incluindo leopardos/hienas, outros com quatro patas, longos bicos curvados e asas, e mais uma cobra com chifres de carneiro. A quarta placa exibe três imagens de uma caça sagrada, com três touros selvagens prestes a serem mortos, talvez em rituais sacrificiais; e a quinta retrata uma deusa em uma biga flanqueada por outros animais oníricos, incluindo duas criaturas muito estranhas parecidas com elefantes com pintas de leopardo, e mais bichos com asas e bicos.

As outras sete placas contêm imagens menos complexas. Enquanto as placas internas maiores parecem retratar cenas narrativas ou eventos rituais, essas parecem focar mais a visualização de um panteão celta, uma rica exibição de deuses e deusas, cuja individualidade é representada por diferentes atributos e estilos de cabelo/barba. Diferentemente das cenas internas ativas, essas imagens externas são retratos, olham estaticamente para o espectador e são acompanhadas por figuras animais e humanas menores. A placa de base também é diferente: sua figura central é um grande touro moribundo, provavelmente um bisão selvagem, morto ou sacrificado por um caçador ou sacerdote.

Nationalmuseet, Dinamarca
Placa de base do caldeirão de Gundestrup. Retrata um touro moribundo sendo atacado por uma figura humana diminuta, talvez, uma oferenda sacrificial.

O caldeirão de Gundestrup parece narrar um mito e apresentar uma panóplia de entes divinos. Podemos apenas supor seus significados e a associação entre uma placa e a outra. Está claro que alguns motivos recorrentes eram destinados a exibir conexões: desses, talvez, o mais revelador é a cobra com chifres de carneiro, que ocorre nessas três placas internas. Essa imagem, como aquela da figura humana com chifres, não está de modo algum confinada à vasilha dinamarquesa, mas aparece extensamente em esculturas galo-britânicas locais datando do período romano, sugerindo um grupo fragmentado de histórias cósmicas que sobreviveram em forma limitada ao longo do período da ocupação romana na Grã-Bretanha, na Gália e na Renânia.

Como teriam funcionado as imagens no caldeirão de Gundestrup no contexto da contação de histórias? De um modo similar, talvez, à forma na qual cenas decoradas de mitos em potes gregos antigos podem ter atuado como um foco de atenção nos simpósios, é possível imaginar a função do caldeirão como o "objeto cênico" de um bardo, no centro de um grupo reunido em torno de um fogo de chão. No flamejar das chamas, as figuras de relevo brilhariam e pareceriam se mover, e os contadores de histórias dariam ao caldeirão voz própria. O touro morrendo na placa de base daria um toque especialmente dramático, pois a cabeça do animal tinha dois furos, para a inserção de chifres removíveis (talvez, reais) que teriam se projetado de qualquer líquido (sangue ou vinho, talvez), em um mito visual de sacrifício e renascimento.

O poder do três

> *Cú Chulainn chegou à muralha de Forgall e deu seu pulo de salmão sobre os três pátios para o meio do forte. No pátio interno, deu três golpes em três grupos de nove homens. Matou oito homens com cada golpe e deixou um de pé no meio de cada grupo. Eles eram os três irmãos de Emer: Scibar, Ibor e Cat.*
> Do *TÁIN BÓ CUAILNGE*

Outra alusão persistente é com relação ao triadismo, ou à "triplicidade". Três parece ter sido um número sagrado na tradição irlandesa e galesa. Nas lendas míticas irlandesas, as deusas da batalha, chamadas variadamente as Morrigna (singular, Morrígan), Badbh e Macha, ocorrem (como as bruxas em *Macbeth*, de Shakespeare) na forma tripla. No panteão irlandês há três deidades das artes: Goibhniu, Luchta e Creidhne. A personificação da própria Irlanda também era apresentada como três deusas: Ériu, Fódla e Banbha. O herói de Ulster, Cú Chulainn, usava seu cabelo em três tranças e matava seus inimigos em três. Em histórias relacionadas à morte de reis, isso era feito de três formas: por ferimento, por queimadura e por afogamento. O triplismo é igualmente encontrado em histórias míticas galesas: em "O segundo ramo dos Mabinogi", Branwen é descrita como uma das três principais donzelas da Grã-Bretanha; na mesma história, o moribundo Brân fala a seus seguidores sobre os três pássaros cantantes mágicos de Rhiannon. Em "O quarto ramo", o mágico Gwydion roga três maldições sobre seu traiçoeiro irmão Gilfaethwy, de modo que seus três filhos sejam transformados em três animais selvagens: um lobo, um cervo e um javali.

A ORATURA: CRIANDO MITOS

Como o caldeirão, a temática do "três" como um número especial é proeminente na cosmologia da Grã-Bretanha e da Irlanda na Idade do Ferro e no período romano. Cabeças triplas eram esculpidas em pedra: a irlandesa de Corleck, Condado de Cavan, consiste em uma pedra circular com três faces compartilhando um "crânio", e uma escultura da cidade romano-britânica de Wroxeter, em Shropshire, retrata três cabeças idênticas juntas. A tradição de divindades de face tripla de modo algum está confinada à Irlanda e à Grã-Bretanha, mas é particularmente comum na Gália, especialmente na Borgonha e em Reims, a capital tribal de Remi. Assim como entes de cabeças triplas, deuses aparecem de forma recorrente em três: na Grã-Bretanha romana, "deusas-mãe" triplas são comuns, assim como esculturas de três figuras estranhas encapuzadas conhecidas como *Genii Cucullati* (os "deuses encapuzados").

Corinium Museum, Cirencester
Relevo de pedra de três deusas de Corinium (Cirencester).

A "pedra vidente" de Corleck

Em Corleck, Condado de Cavan, um escultor de pedras, que provavelmente viveu por volta dos séculos IV e I a.C., pegou uma pedra e esculpiu nela uma cabeça humana. Esse não foi um retrato convencional de uma pessoa ou mesmo de um deus, mas um objeto altamente simbólico, pois o escultor havia esculpido cuidadosamente três faces idênticas em torno da superfície da pedra. Cada par de olhos olha em uma direção diferente, como se escaneando à frente, atrás e para um lado. Por que o número três era tão importante para o criador da cabeça e para aqueles a quem ela foi criada?

National Museum of Ireland, Dublin
Cabeça de três faces em pedra da Idade do Ferro de Corleck, Condado de Cavan, Irlanda.

A cabeça de Corleck nunca foi parte de uma estátua; foi destinada a ser uma imagem de uma cabeça sem corpo. Outras cabeças de três faces são conhecidas na Inglaterra e na Escócia, de modo que o escultor de pedras de Corleck não trabalhou num vácuo, mas de acordo com uma tradição compartilhada em muitos lugares. O simbolismo dual da cabeça em si e sua face tripla contribuiu para um código cosmológico da Idade do Ferro, no qual o poder sagrado era expresso e possibilitado pela produção e pelo uso desse objeto altamente carregado, que poderia retratar uma deidade, mas poderia, igualmente, ter sido usado quase como um *palantiri* ou as "pedras videntes" de Tolkien (usadas para obter conhecimento de lugares ou eventos muito distantes no tempo ou no espaço), dando imensa potência mágica preditiva para aquelas pessoas sagradas que podiam "lê-la" e interpretar suas mensagens.

A importância particular da trindade para a mitologia celta pode apenas ser suposta, mas sua aparição comum nos registros arqueológicos do período anterior à compilação dos mitos por escrito sugere que os últimos mitos envolvendo triadismo tomaram alguns elementos de períodos anteriores. Nas histórias irlandesas de deusas triplas, como a Morrígan, é claro que somente uma *persona* ou identidade real existia, a despeito da manifestação por vezes tripla. O significado por trás do triplismo é mais do que mera ênfase, pois o número três é muito específico e muito favorecido sobre outros números. Era um número sagrado, carregado de significado e magia, e pode ter sua gênese em ideias como a apresentação do passado, do presente e do futuro, ou, como o cosmos de três camadas de muitas tradições xamanistas "modernas", pode ter representado os mundos superior, intermediário e dos mortos.

Cabeças falantes

Conall Cernach foi um dos heróis sobrenaturais que figura na história em prosa do *Ciclo do Ulster*, o *Táin Bó Cuailnge*. Ele foi um grande guerreiro contra Connacht e sua líder, a Rainha Medbh, e foi decapitado em batalha, mas sua cabeça decepada era tão grande que poderia conter quatro adultos, quatro novilhos ou duas pessoas em uma liteira. O crânio esvaziado de Conall claramente possuía poderes similares ao do caldeirão de abundância, pois os homens de Ulster que bebiam leite nele recobravam sua força após ficarem enfraquecidos por uma maldição. Conall tinha outras associações com cabeças: tinha um hábito (claramente muito desconfortável) de dormir cada noite com a cabeça decepada de um Connacht inimigo debaixo de seu joelho.

O episódio final de "O segundo ramo dos Mabinogi" descreve a morte do irmão de Branwen, o herói Brân. Ele foi morto com uma lança irlandesa envenenada que atingiu seu pé (episódio reminiscente do que ocorreu ao herói grego Aquiles na mão de Páris, no fim da Guerra de Troia) durante o grande conflito entre Irlanda e País de

Gales. Antes de morrer, deu a seus seguidores a curiosa instrução de cortar sua cabeça e levá-la ao Monte Branco em Londres, onde seria enterrada com a face voltada para a França, de modo que pudesse proteger a Grã--Bretanha da invasão a partir do continente. Além disso, contou aos seus homens que a cabeça não se decomporia após ser separada de seu corpo, mas lhes seria um companheiro tão bom quanto se estivesse sempre com seu dono, até que fosse finalmente enterrada.

Esses são apenas dois dos muitos mitos associados a cabeças humanas e seus poderes sobrenaturais. Como talvez seja verdadeiro para os caldeirões, o tema das cabeças humanas desincorporadas pode ter suas raízes em rituais e crenças pré-históricos. Povos na Irlanda, na Grã-Bretanha e na Europa da Idade do Ferro parecem ter concedido especial reverência à cabeça humana. Evidências arqueológicas fornecem indicações de como essa veneração era expressa: pelo entalhe de imagens de cabeças em pedra e madeira; pela inclusão de símbolos de cabeça em artefatos de metal decorados da Idade do Ferro e pelo repetido depósito de cabeças humanas reais em lugares especiais: poços, rios, covas e templos.

Proibições e maldições

Essas serão suas injunções. Vocês não devem ir no sentido do sol em torno de Tara e no sentido contrário ao do sol em torno de Brega. Vocês não devem caçar os animais selvagens de Cernae. Vocês não devem sair de Tara a cada nove noites. Vocês não devem passar uma noite em uma casa onde a luz do fogo, que pode ser detectada de fora, é vista após o pôr do sol.
Injunções de Nemglan sobre o Rei Conaire Mór, na "Hospedaria de Da Derga"

A história mítica medieval irlandesa conhecida como *Táin Bó Cuailnge* contém uma descrição dos bardos e sátiros da Rainha Medbh, os quais ela enviou para atacar um nobre de Ulster chamado Fer Diad. As armas usadas foram palavras, que podiam, literalmente, lixar a face

Paul Jenkins
Parte de uma tabuleta de maldição de chumbo de Larzac, sul da França.

de um homem, levantando bolhas e erupções. O poder das palavras para ferir era um tema bárdico recorrente na Irlanda medieval; pode ser encontrado já no século XV, quando foi escrito um poema que registrava a ameaça de um ferimento assim por um poeta contra um homem que havia queimado sua plantação. Os reluzentes campos de trigo são comparados à face chamuscada do incendiário, mas o poeta pode ter sido influenciado, ao menos em parte, pela ética cristã do perdão, pois nunca, de fato, executou a punição.

Maldições são uma característica comum na mitologia irlandesa. Chamadas *gessa*, são mais propriamente descritas como proibições, advertências para não se fazer algo. Era a falha em considerar a mensagem que fazia com que a maldição fosse cumprida. Encontraremos uma *geis* como essa lançada sobre o herói Ulster Cú Chulainn (cf. p. 105-112). Outra história apresenta uma série de *gessa* em seu núcleo: "Hospedaria de Da Derga" narra como um rei Ulster chamado Conaire Mór foi sobrecarregado com um lote inteiro de proibições, a mais séria sendo uma injunção para nunca matar pássaros. Essa ordem particular se deveu à sua concepção e ao seu nascimento, que foram prenunciados pela aparição de um pássaro na casa de sua mãe. Exceto pela maldição do pássaro, as *gessa* de Conaire eram intimamente relacionadas ao seu reinado, e muitas delas eram destinadas a estabelecer limites ao poder real. Assim, por exemplo, elas limitavam sua capacidade de passar algum tempo fora de suas terras, e incluíam um comando de não permitir que seus homens realizassem saques. Mas foi a falha de Conaire em manter sua fé na proibição inicial de matar pássaros que o levou à morte.

As *gessa* desempenhavam um papel importante para os contadores de histórias, pois sua introdução no começo de uma história levava à antecipação de que algo horrível aconteceria ao portador da *geis*. Assim, as *gessa* atuavam como um dispositivo para manter os ouvintes interessados, e podemos imaginar como, talvez, contadores de histórias poderiam interromper a história em um momento crucial, deixando a audiência se perguntando como terminaria, ávida pelo próximo episódio da "novela".

● HISTÓRIAS ASSUSTADORAS DO SOBRENATURAL ●

Algumas histórias míticas celtas são assustadoras de ler, mesmo agora, e devem ter tido efeitos dramáticos ainda mais assustadores quando contadas em tons sepulcrais abafados a uma audiência sentada no escuro, com apenas o tremular assustador das chamas como conforto. Parte da história irlandesa "Hospedaria de Da Derga" descreve uma visão de pesadelo de uma deusa infernal. O próprio nome da história prepara seus ouvintes: Da Derga significa o "deus vermelho", e vermelho era a cor do Além-Mundo. A hospedaria, ou *bruidhen*, era uma morada do Além-Mundo, e o mito inteiro é baseado no assassinato do Rei Conaire, quando este se aventurou, como um ente vivo, nos domínios dos espíritos – sempre uma coisa perigosa de se fazer. A história do desafortunado Conaire é fadada ao infortúnio desde o começo, e a audiência sabia disso. Ele foi morto porque violou sua *geis* dos pássaros, e – significativamente – isso ocorreu no festival de fim de ano de *Samhain*, o equivalente pagão irlandês do *Halloween*, no fim de outubro. *Samhain* era uma época especialmente perigosa, porque ocorria entre o fim de um ano e o começo do outro, uma época de "não ser", quando o mundo virava de cabeça para baixo e os espíritos perambulavam pela Terra entre os humanos vivos.

Em sua descrição do visitante repulsivo da hospedaria, o contador de histórias de "Hospedaria de Da Derga" aproveitava ao máximo sua licença para criar as mais estranhas imagens de pesadelos que pudesse conceber: ela era a deusa da morte disfarçada de idosa, com um laço corrediço em volta do pescoço, vestindo um manto listrado. Ela tinha longas pernas negra e uma barba até os joelhos, e sua boca era do lado da cabeça. Ela fazia declarações proféticas, enquanto ficava em um pé só. Ela chegou à hospedaria logo após o pôr do sol. Tudo isso está cheio de simbolismo que deveria ser bem conhecido pelos ouvintes, pois todas as imagens falam sobre o instável e monstruoso Além-Mundo: a natureza transgênera da bruxa, seus traços distorcidos, seus membros negros como a noite, sua postura em um pé só e seu manto bicolor sugerem um ente capaz de transgredir as fronteiras do cosmos. Ela aparecia na justaposição de dia e noite, no fim do ano velho e no nascimento do ano novo, aumentando, assim, ainda mais o simbolismo do limiar. Sobrepondo imagens, o contador de histórias saturava sua audiência com a mensagem da ameaça, da combinação de humanos e espíritos, e construía sua antecipação de um clímax macabro à história. O público não devia ficar desapontado. Conaire foi decapitado por falhar em manter sua *geis* dos pássaros, mas, mesmo depois, o sabor sobrenatural da história continuou, pois sua cabeça decapitada falou em elogio ao homem que havia matado seus assassinos.

• 2 •

OS NARRADORES DE MITOS

Diz-se que, durante seu treinamento, os druidas aprendem de cor uma grande quantidade de versos; tantos que algumas pessoas passam 20 anos estudando a doutrina. Eles não achavam certo registrar seus ensinamentos na escrita. Suponho que essa prática tenha iniciado, originalmente, por duas razões: eles não queriam que suas doutrinas fossem acessíveis às pessoas comuns e não queriam que seus pupilos confiassem na palavra escrita, negligenciando, assim, o treino de suas memórias.
JÚLIO CÉSAR, *DE BELLO GALLICO*, 6.14

Para que mitos sejam criados, é necessário que indivíduos criem histórias, transmitam-nas e preservem-nas. Os mitos celtas apresentam elaborações complexas porque surgiram indubitavelmente muito antes da alfabetização. Durante a maior parte da Idade do Ferro no País de Gales e na Irlanda, entre cerca de 700 a.C. e no século I d.C. no País de Gales, ou no século VI d.C. na Irlanda, faltava uma tradição literária. Isso significa que, embora histórias míticas possam ter circulado em contextos não alfabetizados quando foram elaboradas pela primeira vez, a compilação dessas narrativas em escritos ocorreu num estágio muito posterior de sua existência.

• FALA E ESCRITA •

O ato de registrar histórias míticas – ou quaisquer outras – à forma física as altera, porque um ato assim as codifica, as congela e as torna menos orgânicas. A escrita é apenas uma forma de registro tangível. Outra é a produção de imagens, seja na forma de escultura ou pintura. Muitas culturas com uma forte tradição oral – como os San, do sul da África, e os povos aborígenes da Austrália, para mencionar apenas duas – escolhiam e ainda escolhem registrar seus mitos em arte rupestre. Mudanças ainda ocorrem, pois é possível pintar sobre superfícies já pintadas e complementar painéis de pintura. Na antiguidade europeia, esculturas em pedra, em lugares como a Galícia, o norte da Itália e a Escandinávia, indubitavelmente, registram conhecimento cosmológico e histórias sagradas, embora a chave para compreendê-las eluda estudiosos modernos. Vale a pena observar, contudo, que quase toda arte rupestre, independentemente de pertencer ao mundo antigo ou a sociedades mais tradicionais, contém alguns temas comuns, notadamente, a presença de metamorfos, que aparecem sob a forma metade humana, metade animal. Certamente, não pode haver qualquer tipo de vínculo cultural direto ao longo dessas zonas vastas de tempo e de espaço, mas o que pode ser indicado é que o enigma de ser humano predispõe as pessoas a representar coisa além de seu mundo material e, talvez, a ver os animais como uma porta para acessar o mundo espiritual. Metamorfos são protagonistas comuns nos mitos celtas.

As histórias dos Mabinogion do País de Gales medieval apresentam um intricado emaranhado de narrativas orais e escritas. Na verdade, é difícil discernir onde uma termina e a outra começa. É por isso que, mesmo na sua forma escrita, as histórias foram concebidas para serem representadas, e não apenas lidas. Mas, mesmo assim, alguns dispositivos, sendo os mais óbvios os usos do discurso direto e da repetição, traem as origens orais. Outro costume surpreendente nas histórias galesas é o modo como os tempos verbais mudam, a fim de aumentar o efeito dramático. Assim, por exemplo, na história de "Peredur", uma narrativa histórica no tempo passado, descrevendo o contexto no qual Peredur viajou para a corte de Artur, é sucedida por uma troca abrupta para o tempo presente, a fim de destacar o drama e a proximidade da chegada do herói. Isso é feito para fazer a audiência se sentar e prestar atenção, e os contadores de histórias, provavelmente, mudavam o tom de fala para combinar com a tensão crescente do momento. (O contexto para a citação a seguir é o insulto feito à Rainha Gwenhwyfar, de Artur, por um cavaleiro desconhecido.)

E eles assumiram que nenhuma pessoa cometeria um crime assim como aquele, a menos que possuísse força e poder ou magia e encantamento, de modo que ninguém pudesse se vingar dela. Com isso, Peredur entra no salão em um velho cavalo ossudo malhado...
"Peredur"

● OS DRUIDAS E A TRADIÇÃO ORAL ●

Pois, usualmente, ocorre que, se as pessoas têm a ajuda de documentos escritos, não prestam muita atenção em aprender de cor, e, com isso, permitem que suas memórias fiquem menos eficientes.
Júlio César, *De Bello Gallico*, 6.14

Palavras são coisas poderosas, ainda mais se forem proferidas em voz alta, de modo que som e significado se combinem em uma única mensagem poderosa que pode ser compartilhada simultaneamente por muitas pessoas. Guardiões da tradição oral tinham de ter memórias duradouras e acuradas e a habilidade de aprender histórias longas de cor, embora acrescentando adornos ao longo do caminho. Ouvintes também se lembravam das histórias que haviam ouvido por todas as suas vidas, e não hesitavam em apontar erros ou inconsistências.

Em seus comentários, Júlio César, escrevendo sobre os celtas da Gália na década de 50 a.C., faz observações reveladoras sobre o sacerdócio druídico e suas responsabilidades na conservação e na disseminação da doutrina oral. De acordo com ele, os druidas eram *as* autoridades religiosas na Gália e na Grã-Bretanha, e desaprovavam o registro das tradições por escrito. Embora fossem capazes de escrever (e, na verdade, mantinham suas descrições usando o alfabeto grego), consideravam o ensinamento oral melhor sob dois aspectos: primeiro, uma necessidade percebida do confinamento do conhecimento aos seus pupilos escolhidos, e, segundo, a fim de afiar as habilidades de seus alunos em consignar à memória o que aprendiam. A complexidade

Musée Historique et Archéologique, Orléans
Estatueta de bronze da Idade do Ferro de um homem segurando um objeto semelhante a um ovo, talvez o ovo de um druida, um objeto usado em profecias, de Neuvy-en-Sullias, na França.

dos textos míticos galeses e irlandeses comprova o poder da linguagem oralmente armazenada. Embora as próprias histórias mudem indubitavelmente ao longo do tempo (e era isso que as mantinha vivas e relevantes aos seus ouvintes), era vital que os nomes de pessoas e lugares fossem transmitidos às gerações, e que o cerne das mensagens míticas não se perdesse devido a lapsos de memória detalhada.

Por que a tradição oral era tão crucial aos celtas e a outras sociedades antigas? Uma razão é que servia para dar aos indivíduos e às comunidades um sentimento de enraizamento. Ela explicava fenômenos naturais, características da paisagem, conflitos passados e desastres, colocando-os em uma estrutura a qual as pessoas pudessem entender e com que pudessem se relacionar. A oratura era muito imediata e, sobretudo, acessível à maioria, que era incapaz de ler. No País de Gales e na Irlanda medievais, aprender e escrever eram privilégios das cortes reais e nobres, por um lado, e do clero, por outro. Ouvir mitos e histórias mantinha comunidades juntas, dando-lhes uma herança comum e uma identidade compartilhada.

O "Livro 6" dos comentários militares de César contém uma seção etnográfica na qual ele descreve os druidas como líderes religiosos com poderes abrangentes. Significativamente, o general romano comentou sobre suas habilidades como ensinadores, mas a importância dos druidas reside em suas habilidades extensas para se comunicarem com o mundo dos deuses e os espíritos ancestrais. César e outros autores contemporâneos enfatizaram sua habilidade em todos os tipos de profecias, particularmente adivinhação (um método de se conectar com o mundo espiritual e de determinar os desejos dos deuses).

A estreita associação entre os druidas e o mundo espiritual é semelhante aos poderes dos xamãs modernos, entre tradições como aquelas dos sámi siberianos e das comunidades amazônicas. Essa conectividade com o divino, junto aos seus reconhecidos pode-

---

Diviciaco o Druida

O sistema de adivinhação não é negligenciado sequer entre os povos bárbaros, uma vez que, de fato, existem druidas na Gália; eu mesmo conheci um deles, Diviciaco, do Éduos, que declarou que conhecia o sistema de natureza que os gregos chamam filosofia natural e que usava para prever o futuro por augúrio e por inferência.

CÍCERO, DE DIVINATIONE I, V. 90

César escreveu sobre seu amigo e aliado Diviciaco, que foi o líder da tribo borgonhesa do Éduos. Mas o contemporâneo próximo de César, Cícero, encontrou o chefe tribal gaulês quando este visitou Roma, em 60 a.C., para pedir ajuda contra seu inimigo, o alemão Ariovistus. Cícero era um orador romano urbano e bem-sucedido, um homem de letras; contudo, admitiu o quão impressionado ficou com a habilidade de adivinhação de Diviciaco para predizer o futuro e a vontade dos deuses por meios rituais. Diviciaco era pró-romano, amigo de César. Mas ele tinha um irmão, Dumnorix, que odiava Roma e cujo maior desejo era expulsar os conquistadores do território gaulês. Como acreditava que ele poderia fomentar uma rebelião em sua ausência, César "convidou" Dumnorix para acompanhá-lo em sua expedição britânica. Dumnorix declinou,

res como oradores e guardiões da tradição oral, torna esses antigos gurus da Idade do Ferro candidatos ideais para o trabalho de criação de mitos.

• O MODELO BÁRDICO TRIPLOL •

Os escritores greco-sicilianos Diodoro Sículo e Estrabão escreveram durante o tempo tanto de Júlio César quanto de seu herdeiro, Augusto. *História mundial*, de Diodoro (chamada Βιβλιοθήκη), com 40 livros, continha descrições detalhadas dos gauleses, embora suas informações provavelmente derivassem, em especial, de escritores anteriores. Grande parte de *Geografia*, de Estrabão, foi igualmente copiada de fontes anteriores. Ambos escreveram sobre três classes cultas na Gália: os poetas líricos, chamados bardos, cujo papel era

Paul Jenkins
Cena mostrando o líder tribal gaulês e o adivinho Diviciaco, em Roma.

usando seus deveres religiosos como uma desculpa. Assim, ambos os irmãos éduos eram movidos por lealdades muito diferentes.

recitar poesia de louvor e versos satíricos acompanhados pela lira, que eles próprios tocavam; os videntes (*vates*), que tinham a responsabilidade de prever o futuro interpretando presságios e portentos, por meio do sacrifício humano; e os druidas, filósofos e teólogos. Assim, embora César reunisse todos esses deveres e essas habilidades sagradas sob o conceito de druidas, os historiadores gregos os dividiam em três categorias distintas.

Tanto César quanto Diodoro concordavam que, na Gália (e na Grã-Bretanha, de acordo com César), havia uma classe elevada de indivíduos responsáveis pelos rituais religiosos, pela comunicação com o mundo divino e pela conservação da tradição oral. Todos os três papéis contribuem para a criação de mitos, incluindo aqueles associados aos ancestrais. A disseminação de narrativas orais sobre o passado servia para fundamentar e explicar a existência de fenômenos naturais, como rios e montanhas. Adicionalmente, os monumentos das comunidades pré-Idade do Ferro, como montes funerários e monólitos, entremearam-se à tapeçaria do mito e, assim, forneceram um contexto cultural para a Idade do Ferro presente.

Praticamente a mesma casta erudita tripla descrita pelos autores gregos antigos como presente na Gália é confirmada no início da tradição mítica irlandesa. Religião, adivinhação, ensinamentos e poesia estavam nas mãos dos druidas, dos *filidh* e dos bardos. No século VII d.C. muitas das funções pagãs que permaneceram após a adoção do cristianismo estavam nas mãos dos *filidh*. Embora os druidas tivessem sido afetados pelo antagonismo cristão e a influência dos bardos tivesse evanescido (parcialmente, porque os *filidh* eram mais fortes), os papéis dos *filidh* como ensinadores, conselheiros do rei, poetas, sátiros (os satiristas políticos de seu tempo) e guardiões da tradição foram mantidos por muito mais tempo. Na verdade, foi apenas no século XVII, sob o incansável ataque do governo inglês à antiga ordem irlandesa, que os *filidh* desapareceram.

Cathbad, o druida de Ulster

O menino Conchobar foi criado por Cathbad, o druida, e era conhecido como o filho de Cathbad. O gracioso Cathbad – príncipe, puro, monarca precioso – cresceu pelos encantamentos do druida.

Do TÁIN BÓ CUAILNGE

Como seus antecessores na Gália e na Grã-Bretanha da Idade do Ferro, os druidas do mito irlandês estavam preocupados, principalmente, com adivinhação, pela definição dos desejos dos deuses. Um desses era Cathbad, que atuava como conselheiro do Rei Conchobar e que, repetidamente, previu o bem ou o mal que ocorreria aos homens de Ulster. Em um episódio, narrado em um texto do século IX, Cathbad previu que a filha não nascida do contador de histórias da corte do Rei Conchobar, Fedlimid, seria Deirdre, uma bela menina, mas que provocaria o assassinato e a queda para os homens de Ulster, desencadeando conflitos internos.

Cathbad ensinou a arte da adivinhação para o jovem herói Cú Chulainn e seus companheiros apoiadores de Ulster. Isso envolvia instruí-los na interpretação de presságios dos deuses e nos dias auspiciosos e inauspiciosos para eventos como ir à batalha, empossar novos reis e realizar casamentos. Muito famosa é a profecia de Cathbad de que qualquer um que pegasse armas em um dia particular teria uma carreira militar gloriosa, mas morreria jovem. O jovem que o fez foi Cú Chulainn. Sua vida e sua morte prematura foram exatamente como Cathbad havia previsto.

Galeria Nacional da Escócia, Edimburgo
Deirdre das Tristezas, lamentando por seu amado Naoise,
de uma pintura de John Duncan, 1900.

• DEUSES, PESSOAS E ANIMAIS •

Os primeiros narradores de mitos – fossem druidas, bardos ou outros contadores de histórias – contavam com sua habilidade de se conectar com o mundo dos espíritos. Os mitos celtas, como os do mundo clássico, estão mesclados de referências à relação estreita e simbiótica entre pessoas e deuses. O mundo espiritual estava em toda parte, e as histórias continham referências constantes à presença de deuses que participavam (e interfeririam) nos humanos e em suas atividades. Cú Chulainn era rodeado por deidades femininas, muitas delas desejando fazer amor com ele. Em sua morte, amarrado a um poste, de modo que não parecesse se curvar diante de um inimigo, a Badbh, em seu papel como deusa do campo de batalhas, pousou em seu ombro sob a forma de uma gralha negra.

No xamanismo "moderno", os animais desempenham um papel crucial na mediação entre os mundos material e espiritual. Eles são muitas vezes percebidos como ajudantes espirituais, com a habilidade de cruzar a fronteira entre os domínios de pessoas e espíritos. Isso também vale para a tradição mítica celta, na qual animais – muitas vezes pássaros ou outras criaturas selvagens – assumem a posição central na conexão entre deuses e humanos. O começo de "O primeiro ramo dos Mabinogi" ilustra essas ligações muito claramente, usando o tema da caça divina (que, incidentalmente, reaparece em outros lugares no repertório de contadores de história galeses e nos textos irlandeses cognatos). A caça era um dispositivo para os narradores de mitos apresentarem um contato direto entre os mundos terreno e espiritual: os caçadores eram mortais, mas sua presa era enviada para o Além-Mundo.

Nesse episódio galês, o caçador era Pwyll, senhor de Llys Arberth, no sudoeste do País de Gales. Ele estava na floresta com seus cães, e um cervo foi farejado. Quando Pwyll e seus cães o avistaram, ele viu outro grupo de cães já ocupados em derrubá-lo; esse segundo grupo era estranho: de um branco ofuscante com orelhas vermelhas. Ao descrever sua coloração, os contadores de histórias estavam fazendo uso de outro tema mítico celta comum, pois essas eram criaturas do mundo

Paul Jenkins
Entalhe de pedra da Idade do Ferro do Vale Camonica, norte da Itália, descrevendo uma criatura metade humana, metade cervo.

espiritual que tinham pelos vermelhos ou vermelhos e brancos. Pwyll insistiu com seus próprios cães, e eles afugentaram o outro grupo, mas, quando fizeram isso, um cavaleiro em um cavalo cinza malhado emergiu da floresta e desafiou Pwyll, condenando-o por sua descortesia ao roubar a caça de outro. Pwyll ficou contrito e perguntou se poderia recompensá-lo, ao que o estranho cavaleiro respondeu se apresentando como Arawn, senhor de seu reino Annwfn, do Além-Mundo. A retribuição de Pwyll era trocar de lugar com Arawn por um ano e um dia e lutar e derrotar outro rei dos espíritos, Hafgan. Em um sentido, o que os contadores de história estavam fazendo era permitir que a audiência antecipasse um importante evento na narrativa. Ao saberem de um caçador, os ouvintes imediatamente se aperceberiam que algo peculiar e sobrenatural estava prestes a ocorrer. Os animais – o cervo e os cães – eram a catálise para o encontro.

Gildas

Não enumerarei as monstruosidades diabólicas de minha terra, quase tão numerosas quanto aquelas que assolaram o Egito, algumas das quais podemos ver hoje, severas como nunca, dentro ou fora dos muros da cidade abandonada: contornos ainda feios, faces ainda horríveis. Não nomearei montanhas e colinas e rios, outrora tão perniciosos, agora úteis para as necessidades humanas, nos quais, naqueles dias, um povo cego amealhava honras divinas.

DE *VIDAS DOS SANTOS*

Gildas foi um monge britânico que passou grande parte de seu tempo denunciando as práticas pagãs que havia observado na Grã-Bretanha durante o século VI d.C. (quando a terra tinha sido oficialmente cristã desde o tempo do Imperador Constantino, no começo do século IV). Gildas é famoso por ter escrito um "livro de reclamações" (*liber querulus*), intitulado *De Excidio Britanniae*, no qual condena veementemente a moralidade decadente dos governantes britânicos contemporâneos. O manuscrito sobrevivente mais antigo dessa diatribe clerical data do século XI, mas o *De Excidio* é considerado um trabalho genuinamente anterior, provavelmente escrito entre 515 e 530 d.C. Nele, Gildas menciona especificamente monumentos e tradições pagãos de adoração que eram anátemas para ele.

Gildas não estava sozinho em suas observações. Seu contemporâneo, o místico francês do século VI, Gregório de Tours, escreveu um livro intitulado *A glória dos confessores*, no qual comentou sobre um colega clérigo, Hilário, bispo de Poitiers, que condenava práticas sacrificiais pagãs que alega ter presenciado em um lago nos Cevennes.

● O REGISTRO DOS MITOS ANTIGOS NA ESCRITA ●

Mas como os mitos fizeram a transição da oratura para a escrita? Dado que a educação na Irlanda e no País de Gales medievais era restrita às cortes reais e aos monastérios, não deveria surpreender que os mitos celtas nos tenham sido transmitidos por meio da iniciativa dos clérigos cristãos ou daqueles educados por eles. Sabemos que os mitos pré-datam o tempo em que foram transpostos para a forma escrita devido aos dispositivos orais discutidos previamente no capítulo 1. Além disso, eles – especialmente as mitologias irlandesas – têm um forte ritmo pagão que é claro a despeito do fato de haver uma boa quantidade de invenção e propaganda antipagã registrada pelos clérigos cristãos; e há similaridades surpreendentes entre a cultura material de simbolismo na pré-história posterior e em temas recorrentes nos mitos escritos.

Essas evidências são arqueológicas, principalmente as de iconografia e inscrições, pertencentes, basicamente, às províncias romanas ocidentais da *Gallia* e da *Britannia*, incluindo País de Gales, mas excluindo a Irlanda. A despeito da inevitável influência romana sobre essa reunião de dados, uma grande quantidade de cosmologia nativa gaulesa e britânica é discernível. É provável que a influência desse material anterior sobre os mitos celtas posteriores tenha se dado de dois modos: primeiro, transmitido pelas tradições orais, que, provavelmente, começaram em contextos pré-históricos; segundo, sabemos, pelos comentários dos primeiros clérigos cristãos, como Gildas, no século VI d.C. e, mais tarde, Giraldo Cambrensis (Geraldo de Gales), no século XII, que alguns monumentos pagãos datando do período romano sobreviveram e eram visíveis na paisagem.

A *peregrinatio pro Dei amore*

> *Sou consumido por um desejo tão ardente que expulsa cada outro pensamento e desejo de meu coração. Decido, caso seja vontade de Deus, procurar a terra da Promessa dos Santos.*
> "VIAGEM DE SÃO BRANDÃO"

Os primeiros monges da Irlanda e do País de Gales viajavam extensamente pela Europa, respondendo a uma necessidade percebida de assumir uma *peregrinatio pro Dei amore* ("jornada pelo amor de Deus") cristã, um tipo de busca espiritual cujo propósito era difundir a mensagem cristã, estabelecer novos mosteiros e encontrar iluminação ao se aproximar de Deus. Um desses monges foi um cristão irlandês chamado Columbano, nascido em 542 d.C. Ele adotou a *peregrinatio* com tremendo zelo e realizou sua busca pela presença de Deus viajando extensamente pela Europa continental, em particular pela França. Para o Papa Pio XI, Columbano foi aquele, entre seus contemporâneos, que mais contribuiu para a missão cristã, não apenas na França, como também na Alemanha e na Itália. A jornada de Columbano começou no noroeste da Irlanda, no mosteiro de Lough Erne (o lugar da reunião de cúpula do G8 sobre o conflito sírio, em 2013).

A história de Columbano demonstra a *peregrinatio* em ação. Esse tipo de viagem missionária clerical (algo similar às viagens de São Paulo narradas nos Atos dos Apóstolos), muito provavelmente, expôs os primeiros monges cristãos à vista de esculturas pagãs e monumentos inscritos. Algumas das estátuas, dos templos e dos objetos rituais que encontraram podem ter alimentado aspectos da contação oral de histórias e ter encontrado seu caminho na tradição mítica. De outro modo, é difícil explicar as similaridades surpreendentes entre a arqueologia religiosa da Idade do Ferro e da Grã-Bretanha e Europa romanas e os elementos presentes nas narrativas míticas. As jornadas dos primeiros clérigos, como Columbano, podem ter criado os assim chamados "corredores do tempo": canais para a transferência de tradição entre o fim da pré-história e o primeiro período medieval.

Fundando mitos celtas em um passado cósmico

Caerleon é da inquestionada Antiguidade. Foi construído com grande cuidado pelos romanos, com os muros feitos de tijolos. Vocês podem ver muitos vestígios de seu esplendor passado.
Geraldo de Gales, "A jornada pelo País de Gales"

Argumentar a favor da presença de ligações verdadeiras entre as evidências arqueológicas para a religião pré-cristã na Grã-Bretanha e na Gália, por um lado, e a favor de mitos celtas medievais da Irlanda e do País de Gales, por outro, é uma tarefa arriscada. Contudo, a estranha e complexa paisagem mítica do Ocidente celta não se originou completamente formada e sem contexto na consciência medieval inicial. Em vez disso, foi fundamentada em cosmologias anteriores, como

Universitätsbibliothek, Heidelberg/Bridgeman Art Library
São Brandão e uma sereia, da tradução alemã de *Navigatio Sancti Brendani Abbatis*, c. 1476.

apresentadas pelo testemunho arqueológico. Para dar um exemplo, o anfiteatro romano em Caerleon foi identificado por criadores de mitos medievais como a Távola Redonda do Rei Artur. As fontes para as conexões podem muito bem ter sido os contadores de histórias, que viam relíquias do passado ou que obtinham informações de outros que relatavam ter visto remanescentes antigos em suas viagens. É trabalho dos contadores de histórias tecer narrativas em torno de grãos de realidade. É gratificante imaginar que esse foi um modo no qual fragmentos de crenças e práticas rituais antigas foram preservados nas histórias míticas mais antigas do Ocidente celta, independentemente das transformações que possam ter sofrido ao longo do caminho.

Evidências arqueológicas do período romano na Gália e na Grã-Bretanha apresentam um arranjo notável e dinâmico de deuses

Rheinisches Landesmuseum, Stuttgart
Altar do período romano (da Alemanha) a Taranucnus, ou Taranis, o deus celta do trovão.

e deusas celtas. Alguns, como Taranis, o deus do trovão; Epona, a deusa equina; e as deusas-mãe triplas abrangiam amplas áreas da Europa. Outros, como as deusas das águas Sulis, em Bath, no interior ocidental britânico; Coventina, em Carrawburgh, no Muro de Hadrian; e Sequana, na Borgonha, eram vinculados a um lugar e eram as personificações de fontes ou rios sagrados particulares. Taranis era um deus das tormentas, mas também uma deidade solar. Seus emblemas eram a roda do sol, a águia, o carvalho e o relâmpago, e grande parte de suas imagens pode ter sido introduzida nos mitos celestiais galeses e irlandeses, incluindo aqueles do herói galês Lleu (cf. p. 135-137) e do irlandês Lugh (cf. p. 67-68). Histórias sobre as batalhas que Lugh lutou com os monstros do mal, os fomorianos, podem conter vestígios da Batalha de Taranis com o gigante do Além-Mundo, com seu corpo metade humano, metade serpente. Do mesmo modo, as deusas antigas das fontes podem fornecer o fundamento dos mitos irlandeses como o de Boann, deusa do grande Rio Boyne. A heroína galesa Rhiannon está, com certeza, estreitamente ligada à antiga Epona, deusa equina gaulesa. As deusas-mãe triplas, como objetos populares de veneração na Grã-Bretanha romana e na Europa, foram certamente a inspiração para as assustadoras tríades irlandesas, as Morrígan e a Badbh.

• MITOS, MONGES E MANUSCRITOS •

O fato de que as pessoas que registraram os mitos tenham sido monges apresenta um problema. Não fosse pela ação dos primeiros escribas cristãos, os mitos teriam sido inteiramente perdidos. Por outro lado, o que os monges estavam fazendo quando registravam os mitos pagãos em manuscritos? É possível que vissem como seu dever preservar a herança oral do mundo celta. Mas é mais provável que usassem as histórias de deuses antigos e entes sobrenaturais como Daghdha, Medbh, Morrígan, Rhiannon e Manawydan (protagonistas dos próximos capítulos) para difamar e ridicularizar o paganismo

Uma deusa antiga em um mito medieval: Epona e Rhiannon

E Pwyll pensou que, no segundo ou no terceiro salto, poderia capturá-la. Mas não estava mais perto dela do que antes. Fez com que seu cavalo fosse o mais rápido possível, mas viu que era inútil persegui-la.

DE "O PRIMEIRO RAMO DOS MABINOGI"

"O primeiro ramo dos Mabinogi" contém uma descrição de uma mulher mágica, Rhiannon, que apareceu a Pwyll, senhor de Llys Arberth, como uma amazona, enquanto estava sentado no *Gorsedd Arberth*, uma colina encantada. *Gorsedd* era um lugar que provocava eventos sobrenaturais para aqueles que lá sentavam: algo maravilhoso ou algo catastrófico. Nem ele nem seus cavaleiros mais ágeis podiam alcançá-la a despeito do passo lento de seu cavalo, mas, quando, em desespero, ele a chamou, ela imediatamente deteve seu cavalo. Após um tempo de corte, eles se casaram e tiveram um filho, Pryderi, a quem sua mãe legou suas afinidades com cavalos (cf. p. 112-115).

O nome Rhiannon deriva de uma deusa britânica do período romano chamada Rigantona, "Rainha Sagrada". Só isso dá a ela uma dimensão sobrenatural. Mas as circunstâncias de seu primeiro encontro com Pwyll traem suas origens espirituais: branca era a cor do Além-Mundo dos

---

e torcer as histórias de modo que encapsulassem códigos cristãos de conduta e ética. No *Ciclo do Ulster* e nos *Mabinogi*, por exemplo, a guerra é apresentada como inutilmente destrutiva. Na maior parte dos textos irlandeses mulheres poderosas não são tratadas com grande simpatia, e o comportamento sexual muito entusiasmado era desaprovado. Se os textos míticos fossem escritos não pelos clérigos, mas por seus pupilos, isso permitiria alguma flexibilidade e uma escrita imaginativa não tão restringida pela ética cristã.

Antes de seguirmos por meio da conexão entre os mitos e a tradição literária cristã, a ligação entre histórias orais e escritas necessita ser considerada. Por longos períodos de tempo, sucessões de contadores de histórias teriam distorcido, adaptado e acrescentado informações às histórias centrais, para se adequarem aos tempos e

animais, e sua habilidade para ultrapassar os cavalos mais rápidos de Pwyll, embora estivesse cavalgando muito lentamente, uma vez mais exibem sua gênese sobrenatural. É possível que as origens do mito de Rhiannon repousem em uma importante deusa antiga, cultuada no período romano na Gália, Grã-Bretanha, e extensamente difundida em grande parte da Europa. Seu nome era Epona ("Deusa Equina") e, em imagens, era descrita cavalgando em uma égua com sela lateral ou sentada entre dois cavalos. Monumentos a Epona podem, ainda, ter estado visíveis para monges itinerantes no início do período medieval, e podem ter sido a inspiração para a história de Rhiannon.

British Museum, Londres
Estatueta de bronze da deusa equina Epona, sentada entre dois pôneis, com espigas de milho; de um local sem proveniência em Wiltshire.

ao ambiente nos quais os bardos estavam trabalhando. Assim, talvez, quando se apresentavam como animadores em cortes reais, aspectos do amor cortês e da rivalidade heroica poderiam estar na linha de frente do repertório. A contação de histórias mais íntima, em torno da fogueira doméstica à noite, poderia ter inspirado histórias mais imaginativas, de monstros estranhos e espíritos erráticos.

Seria um erro assumir que a literatura mítica da Irlanda e do País de Gales medieval surgiu simplesmente como o resultado da cópia de histórias oralmente transmitidas. Embora o cerne dessa literatura se baseie muito em histórias ouvidas, os textos mostram todos os sinais de construção literária deliberada. Histórias foram codificadas e organizadas para se adequarem ao trabalho dos escribas. Histórias antigas foram mescladas a materiais contemporâneos,

Iolo Morgannwg e a tradição bárdica galesa moderna

Iolo, velho Iolo, ele que conhece
as virtudes de todas as ervas de monte e vale...
Qualquer que seja o saber de ciência ou de música
que sábios e bardos do passado tenham transmitido.

UM POEMA DE ROBERT SOUTHEY DO COMEÇO DO SÉCULO XIX

A cada verão no País de Gales, um enorme festival cultural ocorre em um local diferente, alternadamente no norte e no sul. É o National Eisteddfod galês, e seu centro é a Assembleia de Bardos (a *Gorsedd y Beirdd*). Os focos centrais do Eisteddfod são as competições de prosa e poesia em língua galesa, que culminam em três eventos: a Coroação do Bardo, o Entronamento do Bardo e a premiação da Medalha de Prosa. O festival não é novo nem muito antigo. A tradição atual foi a invenção de um pedreiro (*stonemason*) Glamorgan do século XVIII chamado Edward Williams, que renomeou a si próprio Iolo Morgannwg. Ele e outros com ideias afins, profundamente preocupados com o declínio da língua galesa, buscaram vivificá-la, bem como a tradição galesa em geral, "construindo" um *pedigree* e uma ancestralidade para o País de Gales que remetiam aos antigos druidas. Embora a tradição barda galesa possa ser remontada ao menos até o século XII, foi Iolo que acrescentou a ela um pano de fundo de teatro elaborado, que começou com o estabelecimento da *Gorsedd Beirdd Ynys Prydain* (a Assembleia do Bardo da Grã-Bretanha) em Primrose Hill, em Londres, em 1792. O legado de Iolo é a Eisteddfod anual, e talvez seja possível identificar os competidores bardos de hoje, que buscam expressar a tradição galesa por meio de poesia e prosa estritamente regulada, como "narradores de mitos" modernos.

que as atualizaram e forneceram aos leitores atuais uma perspectiva sobre a vida no Ocidente celta medieval.

Tentativas de atribuir autoridade individual aos textos mitológicos galeses e irlandeses têm sido, em grande parte, malsucedidas. Alguns estudiosos argumentaram com convicção que *Os quatro ramos dos Mabinogi* foram trabalho ou de Sulien, bispo de Saint David's, no extremo oeste de Pembrokeshire, ou de seu filho Rhigyfarch, mas não há provas concretas para essa atribuição. Diferentemente das primeiras histórias míticas medievais insulares, o elemento pagão na literatura galesa está, por vezes, meio enterrado sob uma camada de cristianismo manifesto: por exemplo, quando perguntaram ao javali encantado Twrch Trwyth como ele foi amaldiçoado com uma forma animal, este respondeu que Deus havia transformado ele e seus seguidores devido à sua maldade. Portanto, a despeito das prováveis origens nas histórias orais pré-cristãs, os escribas galeses medievais parecem ter indicado as raízes pagãs não ao descrever deuses e deusas, mas de formas mais sutis, em suas referências a cabeças falantes, metamorfoses, entes do Além-Mundo e lugares mágicos.

Os mitos irlandeses são diferentes. Eles estão transbordando de deidades pagãs, profetas, druidas e heróis semidivinos; reis e rainhas interagem livremente com o mundo sobrenatural. O sabor pagão manifesto da mitologia irlandesa convence muitos estudiosos de suas origens genuinamente antigas. Mas outros argumentam com igual certeza que clérigos irlandeses medievais trabalharam restritamente dentro de um contexto cristão, usando textos clássicos e bíblicos disponíveis a eles para interpretar um arcaísmo espúrio que lhes permitisse apresentar mensagens cristãs e códigos de ética pela exageração do grotesco imoderado, belicoso e promíscuo dos pagãos.

As histórias galesas e irlandesas são muito diferentes umas das outras em conteúdo e tom. Mas há algumas similaridades marcadas, como vimos no capítulo 1: cabeças falantes, transformação entre formas humanas e animais, caldeirões mágicos e a presença de um Além-Mundo semelhante à Terra. É muito provável que contadores de histórias viajassem livremente entre as cortes da Irlanda e do País de Gales, e o compartilhamento de enredos entre os dois países não é difícil de explicar.

• 3 •

UMA PLETORA DE ESPÍRITOS IRLANDESES

Agora, ocorreu que Morrígan, na forma de um pássaro, sentou--se em um monólito em Temair Cuailnge e disse ao Touro Marrom:
"Negro, você está inquieto.
Adivinhe que eles reuniram
para certa matança
o sábio corvo
grunhidos altos
que inimigos infestam
os belos campos".
Do *Táin Bó Cuailnge*

Os textos míticos medievais da Irlanda diferem acentuadamente dos textos do País de Gales em seu paganismo manifesto e na presença de uma constelação de entes divinos. Embora os mitos galeses contenham referências repetidas ao Deus cristão, os textos irlandeses cognatos não. As lendas irlandesas são permeadas pelas atividades das deidades cujo comportamento não estaria deslocado nos panteões clássicos. Deuses da fertilidade, da água, das batalhas, do sol, da ferraria, do artesanato e do Além-Mundo representavam seus dramas no teatro da contação de histórias. Os três principais "ciclos" de histórias irlandesas são o *Táin Bó Cuailnge* (*O roubo do gado de Cooley*); o *Ciclo mitológico*, com seus dois livros principais – *Leabhar Gabhála* (*O livro das invasões*) e *Dinnshenchas* (*A história dos lugares*); e o *Ciclo feniano* (ou *Ciclo de Finn*). Outras fontes importantes incluem o *Livro amarelo de Lecan*, do século XI, que contém a descrição da "Hospedaria de Da Derga", uma história assustadora sobre o Além-Mundo irlandês e sua terrível deusa da morte.

• HISTÓRIAS DA CRIAÇÃO •

*Os primeiros invasores da Irlanda foram cinquenta e uma
mulheres e três homens. Eles descendiam do próprio Noé, e
todos – exceto um único homem – morreram no Dilúvio. Fintan
foi o único sobrevivente, e ele tinha o dom da magia. Assim,
transformou-se em um salmão, de modo que pudesse nadar
pelas águas da enchente. Quando o nível da água baixou, ele se
transformou, novamente, em uma águia e, depois, em um falcão,
de modo que pudesse voar alto acima da terra que emergia e ver as
montanhas e as planícies que reapareciam quando a água baixava.*
EM *O LIVRO DAS INVASÕES*

É uma função do mito produzir explicações sobre as origens dos
povos. Um texto do século XII conhecido como *O livro das invasões*
fornece exatamente um contexto assim para a presença dos gaélicos
(falantes do celta) na Irlanda. Como seu nome sugere, é a crônica
das ondas de "invasões", que começaram com uma expedição liderada por uma mulher chamada Cesair, de quem praticamente nada
se sabe, exceto que fora neta de Noé. O livro contém uma referência ao Dilúvio, imediatamente após o qual um homem chamado
Partólomo liderou outra onda de colonizadores. Ele lutou uma
batalha feroz com os fomorianos (*Fomhoire*, em irlandês), uma raça
de monstros que já habitava a Irlanda.

O tema central de *O livro das invasões*, contudo, é a coloniza-
ção da Irlanda por uma raça de deuses conhecidos como Tuatha Dé
Danann (o povo da deusa Danu). Eles governaram o lugar até serem
expulsos pelos gaélicos, cuja presença forçou os Tuatha Dé Danann
a se retiraram para o subterrâneo e criarem um domínio do Além-
-Mundo paralelo ao mundo terreno. Esses deuses desapropriados
viviam em *sídhe*, montes espirituais (talvez como o de Newgrange –
cf. figura "Vista aérea do túmulo de passagem do neolítico"), cada um
dos quais uma hospedaria ou *bruidhen*, na qual organizavam banquetes perpétuos.

The Irish Times
Vista aérea do túmulo de passagem do neolítico em Newgrange, Irlanda.
Na mitologia irlandesa inicial, tumbas antigas como essa, segundo a crença, eram moradas dos espíritos.

• O PANTEÃO IRLANDÊS •

Há dois mil anos viveu na Irlanda um povo que era composto de deuses e de filhos de deuses. Eles eram de beleza radiante e de comportamento divino, e amavam, sobre todas as coisas, a poesia, a música e a beleza da forma no homem e na mulher. Esse povo belo descendia da deusa Dana, e, por isso, eles eram chamados os Dan Danaans, ou o povo de Dana.
EM O LIVRO DAS INVASÕES

A despeito da ampla série de divindades presentes nas histórias míticas, não havia um deus-pai-celestial claro, como Zeus ou Júpiter nos panteões clássicos, embora Lugh, como um deus da luz, chegue o mais perto de uma deidade celestial, e Daghdha tenha sido um

Os talismãs dos Tuatha Dé Danann

De onde os Tuatha Dé Danann vieram não está registrado nos mitos escritos, mas sua ancestralidade remonta a uma deusa fundadora, Danu. Quando chegaram na Irlanda trouxeram quatro objetos preciosos, mágicos e poderosos. Um deles, a Pedra de Fál, estava ligado ao Reino Sacro: quando um novo governante estava sendo verificado para eleição, a pedra guincharia caso fosse tocada pelo candidato certo. Os outros três estavam conectados com deuses individuais e serviam para empoderá-los: o Caldeirão da Regeneração pertencia ao Daghdha, o Deus Bom, e nunca estava sem comida; a Lança de Lugh garantia que seu deus guerreiro sempre prevalecesse sobre seus inimigos; e a Espada de Nuadu era empunhada pelo deus do clima e de seu golpe ninguém poderia sobreviver.

senhor de todos os deuses. Não há um deus da guerra único, como Ares e Marte, mas várias deidades da guerra, a maior parte delas mulheres. Não havia deusa manifesta do amor erótico como Afrodite/Vênus, mas muitas deusas – como Morrígan e a deusa Rainha Medbh – tinham seu lado promíscuo.

Houve deuses da fertilidade poderosos, incluindo Daghdha; deusas associadas à soberania e à prosperidade, como Ériu; um grupo de deidades funcionais, como Dian Cécht (que combinava os papéis de cura e artesão) e Goibhniu o Ferreiro, cujas armas nunca erravam o alvo. Esse último deus, como muitos dos outros, tinha uma hospedaria no Além-Mundo: aqueles que participavam de seus banquetes adquiriam imortalidade. Não há dúvida de que a redação dos mitos irlandeses por clérigos cristãos teve uma enorme influência no modo como o panteão irlandês foi apresentado. Deidades da guerra eram mulheres más com apetites sexuais incontroláveis, e mesmo Daghdha era retratado como ridiculamente inchado e beberrão.

Os principais deuses irlandeses dos Tuatha Dé Danann

Daghdha	chefe dos deuses; garantidor divino da fertilidade e da prosperidade
Lugh	deus da guerra, da luz e das habilidades artesanais
Macha	deusa equina e das batalhas
Morrígan	deusa da guerra e da morte
Badbh	intercambiável com Morrígan
Goibhniu	deus dos ferreiros
Dian Cécht	deus da cura e das artes
Danu/Anu	deusas da fundação
Ériu	deusa epônima da Irlanda
Oenghus	deus dos amantes
Nuadu	seu nome significa "criador de nuvens"; portanto, pode ser um deus do clima
Boann	deusa do Rio Boyne
Manannán	deus do mar

● UMA TRÍADE DIVINA: DAGHDHA, BOANN E OENGHUS ●

Governou Ériu um famoso rei dos Tuatha Dé Danann, e Echu Ollathir era seu nome. Outro nome para ele era Daghdha, pois era ele quem realizava milagres e cuidava do clima e da colheita, e é por isso que era chamado de o Deus Bom.
EM *O LIVRO DAS INVASÕES*

Daghdha era o deus-pai tribal, uma deidade central do panteão. Seu título de "Deus Bom" indica seu papel predominante como guardião da prosperidade da Irlanda. Ele não apenas possuía seu caldeirão mágico de abundância, como também empunhava um enorme bastão, no qual uma extremidade lidava com a morte e a outra restaurava a vida. Daghdha era grande em todos os sentidos: seu corpo

UMA PLETORA DE ESPÍRITOS IRLANDESES

Foto: Carole Raddato
Escultura britânico-romana de Hércules empunhando um bastão, uma imagem similar às descrições do Daghdha irlandês, de Corbridge, Northumberland.

era enorme, e sua barriga, imensa; seu apetite sexual era prodigioso, e tinha intercurso com muitas mulheres divinas, incluindo Morrígan (aparentemente sua antítese, em seus poderes destrutivos) e Boann, a deusa dos rios.

Sua união com Boann ocorreu enquanto ela ainda estava casada com o deus da água, Nechtan. Quando engravidou de seu amante, o casal buscou encobrir seu relacionamento, e Daghdha fez isso lançando uma maldição no sol, de modo que permanecesse parado nos céus por nove meses, nem nascendo nem se pondo. Assim, o bebê foi efetivamente concebido e nasceu no mesmo dia. A criança era um menino, e eles o chamaram Oenghus mac Oc, "Filho do Jovem" ou "O Jovem", em reconhecimento ao estranho evento solar que cercou seu nascimento. Oenghus se tornou um deus do amor, um protetor dos casais desafortunados.

Paul Jenkins
Escultura em pedra do deus dos céus Júpiter pisando sobre um gigante, em uma coluna de Neschers, França.

• NUADU DO BRAÇO DE PRATA •

Nuadu Argatlámh ("Braço de Prata") foi outrora o rei dos Tuatha Dé Danann. Mas havia uma regra estrita na tradição mítica irlandesa, segundo a qual um rei tinha de ser fisicamente perfeito, sem quaisquer imperfeições ou anormalidades. O braço de Nuadu foi amputado em batalha, e, por isso, não mais inteiro, ele teve de abdicar. Porém outro deus, Dian Cécht, veio para ajudá-lo. Ele era um médico divino, com habilidade na arte da cura, mas também tinha poder como ferreiro. Ele fez um novo braço e uma mão de prata para Nuadu – talvez o primeiro membro protético registrado na mitologia antiga.

Assim, restaurado em sua forma plena, Nuadu foi capaz de reassumir seu reino. Contudo havia ficado exaurido pelo combate constante com os fomorianos, monstros que eram inimigos jurados dos Tuatha Dé Danann, e, logo após seu novo membro ter sido colocado, renunciou à liderança dos deuses em favor de outro deus muito mais jovem, Lugh. O nome Nuadu pode significar "criador de nuvens", indicando sua função original como um deus do clima e das tormentas, como os clássicos Zeus/Júpiter.

Nuadu e Nodens

Muitas vezes, não é possível fazer conexões diretas entre os deuses da mitologia celta medieval e as primeiras divindades nativas cultuadas na Grã-Bretanha romana. Mas um candidato promissor a essa associação é o deus britânico Nodens, cujo santuário principal ficava em Lydney, na Floresta de Dean, com vista para o amplo Rio Severn, próximo ao seu estuário. O nome de Noden é cognato a céu e clima. O templo em Lydney foi construído em meados do século IV d.C., quando o cristianismo já havia se estabelecido como a religião do Estado do Império Romano. O santuário foi escavado na década de 1920 por Sir Mortimer Wheeler, que encontrou inscrições indicando que o santuário fora dedicado a Nodens. Os achados do templo revelam que Nodens era uma deidade da caça e da cura. Entre as oferendas votivas estavam nove estatuetas de cães, a mais esplêndida sendo um modelo de um galgo escocês jovem (a grande casa de campo em Lydney ainda tem um parque de cervos em seus domínios).

Um mosaico que outrora embelezava o interior do santuário traz uma inscrição que narra a presença de um "intérprete dos sonhos", presumivelmente aqueles experienciados por peregrinos doentes enquanto dormiam no dormitório sagrado esperando por uma visão curativa do deus. Havia, ali, uma casa de banhos, e devotos doentes e feridos se banhavam na fonte de água rica em ferro na esperança de que fos-

Bristol City Museum
Réplica do galgo escocês britânico-romano tardio de bronze do templo de Nodens, em Lydney.

A maldição do anel

Um dos objetos mais reveladores de Lydney é uma pequena tabuleta de chumbo na qual uma maldição foi inscrita. Essas maldições, conhecidas, no mundo antigo, como *defixiones*, ou "encantos fixados", eram, muitas vezes, consagradas em santuários de cura. A deusa Sulis Minerva, em Bath, foi mencionada em numerosas tabuletas de maldição colocadas na fonte sagrada. A de Lydney é especialmente interessante devido à mensagem que contém. A maldição é dedicada a Nodens por um homem chamado Silviano. Ele havia perdido um anel no templo, talvez ao tê-lo retirado com suas roupas antes de se banhar na água sagrada. A maldição indica que Silviano suspeitava que o ladrão fosse um conhecido seu, um companheiro peregrino chamado Seniciano, e pede para que Nodens inflija ao ladrão uma má saúde até que o anel seja trazido de volta ao templo. Em troca, Silviano promete dar ao deus metade do valor do anel.

Essa história é muito interessante, mas há mais. Um anel de ouro gravado com o nome Seniciano foi, de fato, encontrado na cidade romana de Silchester, em Hampshire. Poderia ser o mesmo anel, audaciosamente inscrito com o nome do ladrão? O desfecho da maldição de Lydney é que um dos visitantes do local quando Wheeler estava cavando era ninguém menos que J.R.R. Tolkien. Ele era fascinado por Nodens, pela maldição e pelo anel, e logo após começou a escrever *O hobbit*. Será que ele foi influenciado pelo que encontrou em sua visita a Lydney?

---

sem curados por seu toque. O templo em Lydney estava situado nas profundezas de uma antiga floresta, com uma visão ininterrupta, no alto, do Severn e do dramático macaréu que se estende sobre ele em certas marés altas. Se Nodens, como Nuadu, foi um deus do clima, seus sacerdotes podem muito bem ter reivindicado poder de prever um macaréu como ação divina de Nodens.

● LUGH DO BRAÇO LONGO: ●
O DEUS DA LUZ E DA JUSTIÇA

Na época em que Nuadu sentiu seu poder falhar, um jovem chamado Lugh (cujo nome significa "O Brilhante") apareceu na corte real de Tara e pediu para entrar. O porteiro perguntou que habilidade especial o visitante possuía, uma vez que ninguém sem habilidades tinha autorização para entrar na corte. Lugh respondeu que era carpinteiro, mas o porteiro disse que já tinham um; então ele disse que era ferreiro, depois, harpista, herói, poeta de louvor, feiticeiro, médico, escanção e artesão. Quando o guardião do portão lhe disse que Tara já tinha um de cada, Lugh retorquiu que seus dons especiais residiam em sua habilidade em todas essas ocupações. Ele teve autorização para acessar a corte e o rei. Em seguida, substituiu Nuadu como rei dos deuses, usando suas múltiplas habilidades para liderar seu povo divino.

● BATALHAS COM MONSTROS ●

Os Tuatha Dé Danann não receberam a Irlanda numa bandeja quando a invadiram. Tiveram de combater dois grupos separados de entes monstruosos antes que pudessem se estabelecer. Os primeiros foram os Fir Bholg, que haviam se apossado do país antes que os Tuatha Dé Danann chegassem. Foi na Primeira Batalha de Magh Tuiredh no Condado de Sligo que Nuadu perdeu o braço. A despeito desse revés, a corrida dos deuses terminou sendo vitoriosa. Agora, tinham de combater outro povo inimigo, os fomorianos.

Quando Lugh se tornou rei dos Tuatha Dé Danann, sua tarefa principal era continuar a batalha contra sua segunda corrida de monstros. Eles eram um inimigo formidável. Lugh reuniu todas as habilidades nas artes de feitiçaria e magia de seu povo a fim de criar armas e encantos invencíveis contra seu inimigo monstruoso. Com a mágica de Lugh, as montanhas foram jogadas sobre eles, e toda a água da Irlanda lhes foi ocultada. Druidas foram chamados para lhes atear fogo e fazer com que adoecessem.

A guerra entre os Tuatha Dé Danann e os fomorianos culminou na Segunda Batalha de Magh Tuiredh, um confronto sangrento com muitas baixas de ambos os lados. Mas os Tuatha Dé Danann tinham uma enorme vantagem: enquanto os fomorianos mortos permaneceram assim, os deuses renasciam ao serem jogados em um poço mágico. O deus artesão Dian Cécht (que deu a Nuadu seu novo braço) e seus três filhos entoaram encantos sobre o poço, e os guerreiros mortos foram restaurados à vida para se juntar novamente à batalha contra os monstros. O próprio Lugh usou magia para inspirar seu exército. Ele se movia entre os soldados entoando encantos para torná-los fortes.

Balor do olho maligno

Os fomorianos tinham um defensor temível chamado Balor. Seu único olho era tão grande que eram necessários quatro homens para erguer a pálpebra. Quando o olho estava aberto, seu olhar era tão venenoso que, como o da Medusa, podia congelar um exército inteiro em seu caminho; ninguém conseguia sobreviver. Quando defrontado com seu horrível oponente, Lugh agiu rapidamente. Tão logo o olho de Balor virou em sua direção, Lugh pegou sua funda e mirou direto para ele. A força da pedra da funda impeliu o grande olho de Balor através de sua cabeça, de modo que saltou para trás e voltou seu olhar fatal para os próprios fomorianos. A Batalha de Magh Tuiredh havia terminado. O rei metade fomoriano, Bres, que havia governado a Irlanda brevemente – e sem sucesso –, quando Nuadu ficou incapacitado, teve permissão para viver em troca de sua orientação aos Tuatha Dé Danann sobre a prática agrícola.

A habilidade de Lugh com a funda lhe deu sua alcunha, Lugh Lámfhada ("Braço Longo"). Uma figura divina com um nome praticamente idêntico é encontrada na lenda galesa. Esse era Lleu Llaw Gyffes, o Brilhante da Mão Hábil. É quase certo que esses dois deuses gaulês e irlandês compartilhem uma identidade comum, pois cada um representava luz e bondade, e habilidade artesanal.

• AMANTES DOS SONHOS: OENGHUS E A DONZELA DO TEIXO •

Oenghus mac Oc era o deus do amor, como Eros e Cupido na mitologia clássica. Seu principal trabalho era ajudar amantes desafortunados, e *O livro das invasões* contém muitas histórias de amor associadas a ele. Mas, em uma das mais românticas, "O sonho de Oenghus", é o próprio deus que estava possuído por um amor "impossível" após conhecer uma garota em um sonho. Ao acordar, apercebeu-se de que estava desesperadamente apaixonado por essa donzela do sonho e partiu para descobrir quem era ela e como encontrá-la.

O nome da garota era Caer Ibormeith ("Fruto do Teixo"). Oenghus terminou encontrando-a em um lago, onde ela morava com um grupo de outras jovens. Mas Caer e suas companheiras não eram garotas comuns, pois, a cada ano, no Festival de Samhain (a celebração que marca o fim do antigo ano celta), quando o tempo estancava e o portão entre o mundo terreno e o reino dos espíritos permanecia aberto, elas eram transformadas em cisnes. A própria Caer era de origem sobrenatural; não só podia mudar de forma, mas seu pai também era claramente divino, pois tinha o próprio *sídh* (palácio no Além-Mundo). Cada par de garotas-cisne estava ligado entre si por uma corrente de prata, mas a própria Caer era distinta, por estar sozinha e ter uma corrente de ouro.

O pai de Caer recusou a Oenghus a permissão para se casar com a filha, mas o jovem deus persistiu em seu amor. Apercebendo-se de que só poderia conquistá-la quando estivesse na forma de cisne, foi ao lago na maré Samhain e chamou por ela. Quando ela veio, ele se transformou em um cisne, e os dois voaram juntos. O par circulou o lago por três vezes, entoando um encanto enquanto voavam, de modo que todos abaixo deles adormecessem rápido e não pudessem persegui-los. Oenghus e Caer voaram em direção ao palácio de Oenghus, em Brugh, na Bóinne, e, talvez, viveram felizes para sempre.

As correntes de prata ligando os pares de cisnes nunca foram explicadas. Como os pássaros se metamorfoseavam para a forma de donzelas humanas, é sempre assumido que os cisnes também fossem fêmeas. Mas é possível que os pares acorrentados de pássaros representassem cisnes machos e fêmeas, com a corrente refletindo sua monogamia e aliança para a vida. O fato de que somente Caer tivesse uma corrente de ouro para si talvez sugira sua condição de solteira e seu futuro casamento com um deus.

• MIDHIR E ÉTAIN •

Midhir havia se enfeitado esplendidamente. Ele havia escovado seus longos cabelos dourados e colocado sua fina faixa dourada de cabeça. Vestindo sua túnica púrpura, posicionou-se heroicamente no portão do castelo segurando uma lança com ponta de bronze e um grande escudo circular ornamentado de joias. Seus olhos cinzentos brilhantes reluziam quando começou a cortejar Étain.
"O CORTEJO DE ÉTAIN", EM *O LIVRO DAS INVASÕES*

Como Oenghus, Midhir era um dos Tuatha Dé Danann, senhor dos *sídh* de Bri Léith. Ele ficou profundamente apaixonado por uma garota chamada Étain, que era mortal, mas possuía alguns poderes sobrenaturais, como a habilidade de cantarolar suavemente para Midhir dormir e alertá-lo com antecedência que um inimigo estava se aproximando. A esposa de Midhr, Fuamnach, sentiu muito ciúme de sua nova paixão e, em sua fúria vingativa, lançou um encanto sobre a garota, de modo que esta se transformasse, sucessivamente, numa poça d'água e numa mosca púrpura. Não contente com isso, Fuamnach conjurou um vento que soprasse a mosca para longe. Então Oenghus, protetor divino dos amantes, entrou para resgatar a desafortunada garota transformada e a escondeu em seu palácio no Boyne. A maldição de Fuamnach era forte. Oenghus lutou para revertê-la, mas seu sucesso foi apenas parcial, conseguindo restaurar Étain à forma humana somente à noite.

Lamentavelmente, o vento mágico de Fuamnach soprou Étain novamente para longe, e a mosca transformada caiu em uma taça de vinho e foi engolida por Edar, a esposa de um herói Ulster. Esse episódio marcou o fim da primeira existência de Étain. Ela renasceu como um novo bebê mil anos depois. Mas Midhir ainda procurava por ela e terminou encontrando-a. Adulta, casou-se com Eochaidh, rei da Irlanda, que havia se casado com ela apenas porque o povo só acataria suas leis tributárias se tivesse uma esposa. Midhir usou seus poderes divinos para reconquistar Étain. Ele roubou um beijo que ativou a memória de seu primeiro amor. Os dois escaparam da corte do rei em Tara, e, como Oenghus e Caer, o par feliz voou para longe como cisnes.

A história de Midhir e Étain é permeada de divindade e magia: metamorfose, longevidade e renascimento são marcas do sobrenatural. A habilidade para efetuar transformações foi facilitada pela oportunidade: Samhain era o momento do "não ser", quando a ordem se desintegrava e o caos governava.

Gloucester City Museum
Escultura em pedra de Mercúrio (com um galo jovem) e Rosmerta (com um balde, uma concha e um cetro) de Gloucester. Eles são cognatos ao casal divino irlandês Midhir e Étain.

O simbolismo dos cisnes

Uma característica de muitos mitos irlandeses – incluindo as histórias de amor de Oenghus e Caer e de Midhir e Étain – é a transformação em cisnes. Cisnes são pássaros carismáticos: grandes, brancos, belos e, por vezes, ferozes, embora, frequentemente, sejam vistos nadando serenamente na calma superfície da água. Pássaros aquáticos possuíam um simbolismo poderoso nos mitos celtas porque estavam à vontade em quase todos os elementos: água, ar e terra. A plumagem extraordinária dos cisnes talvez dê a eles uma vantagem extra, uma vez que evoca pureza; e o hábito monogâmico de formar pares para a vida faz deles ícones de fidelidade e dedicação duradoura, altamente apropriados para amantes divinos. Contadores de histórias deram aos cisnes uma reputação muito melhor do que às suas antíteses – o corvo e a gralha negra, pássaros negros repugnantes que, muitas vezes, previam desastres e examinavam os mortos no campo de batalha.

Paul Jenkins
Garfo de bronze da Idade do Ferro, usado para carne em banquetes, de Dunaverney, Condado de Antrim, Irlanda.

• ATRAÇÃO FATAL: •
TRIÂNGULOS AMOROSOS NA MITOLOGIA IRLANDESA

Cathbad colocou sua mão sobre o estômago da mulher e profetizou que a criança não nascida seria uma menina chamada Deirdre, e que seria excessivamente bonita, mas traria a ruína de Ulster.
Do *Táin Bó Cuailnge*

Um tema recorrente em histórias sobre os deuses irlandeses é o do triângulo amoroso entre um esposo (ou noivo) velho, um jovem pretendente e uma garota. Esse é, provavelmente, um mito de soberania disfarçado, no qual um velho rei é desafiado por um candidato jovem ao trono. A garota no meio do triângulo pode ser identificada com a deusa da soberania, cujo poder de garantir prosperidade à terra tinha de ser conquistado por meio da união sexual com o jovem pretendente. Se a terra precisasse ser revitalizada, o velho rei mortal tinha de ser deposto em favor da juventude vigorosa. A história de Oenghus e Caer segue esse tema até certo ponto, embora, nesse caso, o homem mais velho seja o pai de Caer, não um rei. Na verdade, há um padrão similar na história mítica galesa de "Culhwch e Olwen": o pai de Olwen – como o de Caer – a proibiu de se casar com o jovem amante Culhwch.

Duas histórias irlandesas fornecem ilustração dramática dessas tensões ciosas entre juventude e velhice. Uma está situada em um texto do século IX que forma parte do *Ciclo do Ulster*, uma precursora do *Táin Bó Cuailnge*, que registra o relacionamento entre o Rei Conchobar, sua filha adotiva Deirdre e o amante dela, Naoise. A segunda é encontrada em uma história do século X, incorporada, mais tarde, no *Ciclo feniano* do século XII. Ela relata o amor de Diarmaid e Gráinne, a esposa prometida de Finn, o líder senescente do grupo de guerra chamado os Fianna.

A vida de Deirdre, muitas vezes conhecida como Deirdre das Tristezas, foi prevista por Cathbad, o druida da corte Ulster, antes de seu nascimento. Cathbad previu que a criança cresceria e se tornaria surpreendentemente bela, mas traria desastre para Ulster. A despeito do urgente apelo dos homens de Ulster a Conchobar para que o bebê fosse morto ao nascer, o rei foi contra o conselho e decidiu criá-la em segredo como sua filha adotiva. Quando a garota atingiu a puberdade, Conchobar observou quão bela era e a quis como sua esposa. Isolada, Deirdre pouco sabia sobre homens, mas, um dia, observou o pai adotivo enquanto este matava um bezerro e removia sua pele, e uma gralha negra bebia o sangue derramado. Havia neve sobre o chão, e Deirdre ficou impressionada com a justaposição das três cores: o branco, o vermelho e o preto. Ela jurou que o homem que escolhesse para casar teria o cabelo preto como a gralha negra, a pele branca e a face vermelha.

Agora, Deirdre tinha uma companheira (talvez mais uma acompanhante) chamada Leabharcham; ela disse a Deirdre que havia, de fato, alguém que satisfazia esses critérios: seu nome era Naoise e ele tinha dois irmãos. Diferentemente de outras histórias de triângulos amorosos, nesse exemplo, foi Deirdre que organizou tudo. Ela abordou Naoise, mas sua reputação como uma fonte potencial de dano para Ulster a precedia, e ele recusou suas abordagens. Então Deirdre buscou conquistá-lo por um meio garantido: o de provocar sua honra, dizendo que ele seria humilhado se não fugisse com ela.

Os dois fugiram para a Escócia com os irmãos de Naoise, mas Conchobar os chamou de volta para Emhain Macha (cf. p. 142-143), enviando um emissário, Ferghus mac Roich, para lhes prometer um indulto. A promessa se mostrou falsa. O rei vingativo usou um homem chamado Eoghan para matar Naoise e seus dois irmãos. A punição de Deirdre foi ser obrigada a se casar com o assassino de seu amante, mas ela tirou a própria vida em vez de se submeter a ele. Ferghus ficou furioso com a perfídia de Conchobar. Houve uma luta acerba entre eles, que culminou em Ferghus e seus seguidores se afastando da corte de Ulster e desertando em favor do arqui-inimigo de Ulster, Medbh de Connacht, cumprindo, assim, a profecia de Cathbad sobre a ruína que Deirdre infligiria ao seu povo.

A história de Finn, Diarmaid e Gráinne segue, essencialmente, um padrão similar à de Conchobar, Deirdre e Naoise. Como Deirdre, foi Gráinne a instigadora do caso de amor com Diarmaid, mesmo que estivesse noiva de Finn. Sua traição de Finn sugere que Gráinne, como sua equivalente de Ulster, era uma deusa da soberania disfarçada que rejeitou seu consorte mortal idoso e buscou um parceiro de casamento jovem, a fim de salvaguardar e revigorar a prosperidade da Irlanda. Como Naoise, Diarmaid relutou quando Gráinne o abordou. Ele estava em uma posição difícil, pois era o tenente de guerra, obrigado a ser leal a seu patrono.

Mas, exatamente do mesmo modo que Deirdre, Gráinne atacou as raízes da honra de Diarmaid como um herói. Ele ficou, então,

The Irish Times
Tumba neolítica conhecida como a "Cama de Diarmaid", em Kilcooney, Condado de Donegal, Irlanda.

duplamente obrigado, sem escapatória. Ele se submeteu a Gráinne, e o par fugiu de Tara, onde Finn tinha autoridade. O pretendente idoso rejeitado iniciou uma busca pelo par errante que durou sete anos. Mas o casal desafortunado não estava sozinho. Oenghus, o deus do amor, calhava ser também o pai adotivo de Diarmaid. Ele tentou ajudá-los, avisando-os para nunca dormir no mesmo lugar duas noites seguidas. Os fugitivos se tornaram praticamente imortais ao comer as frutinhas da Árvore da Imortalidade que cresceu na floresta encantada de Duvnos. Isso significava que só poderiam ser mortos por meio de um encanto mais forte que o do fruto da árvore.

Como Conchobar, Finn recorreu à trapaça. Aparentemente reconciliado com seu rival, convidou Diarmaid a se juntar a ele em uma caça ao javali. Isso foi ardiloso, pois Finn estava ciente de uma profecia segundo a qual Diarmaid seria morto por um animal particular, o Javali de Boann Ghulban. Essa criatura era metamorfa: teria outrora possuído a forma humana que não fora outra que não a do irmão de criação de Diarmaid. Duas versões da morte de Diarmaid estão registradas nos textos: na primeira, os espinhos das costas do javali foram envenenados, e o jovem morreu quando sua pele foi perfurada por um desses espinhos; e a segunda coloca a culpa no próprio Finn. O velho líder de guerra poderia tê-lo salvado trazendo-lhe água. Ele trouxe água de um poço sagrado três vezes na concha de suas mãos e, por duas vezes, deixou-a escorrer enquanto chegava ao jovem afligido. Quando, pela terceira vez, trouxe a água que daria vida a Diarmaid, queria ter-lhe dado, mas era tarde demais: Diarmaid estava morto.

● OS GAÉLICOS E AS DEUSAS ●

Os gaélicos ou celtas (por vezes, conhecidos como milésios nos textos) foram os colonizadores finais da Irlanda, de acordo com *O livro das invasões*. Eles expulsaram os Tuatha Dé Danann, que se refugiaram no subterrâneo em seus palácios (ou *sídhe*) do Além-Mundo. A deusa da origem dos Tuatha Dé Danann, Danu, tinha três rivais, todas mais poderosas do que ela. Cada uma dessas deusas personificava a terra da Irlanda, e elas encontraram os novos invasores gaélicos quando chegaram. O trio se chamava Ériu, Fódla e Banbha. Elas também eram rivais, e cada uma exigiu lealdade dos gaélicos e uma promessa de que nomeariam a terra em homenagem a ela. Em troca, a deusa vitoriosa prometia que os gaélicos manteriam a Irlanda para sempre.

Ériu emergiu como a vencedora e se tornou a ancestral divina epônima da Irlanda (Érin é, ainda hoje, usado como um nome alternativo para o país). Ériu foi a deusa original da soberania e do reino sacro. Diferentemente de muitas deidades femininas da Irlanda, Ériu pertencia a toda Irlanda, e ela era a essência do país, sua fertilidade e seu sucesso como uma nação próspera. A supremacia de Ériu na época que os gaélicos invadiram foi prevista pelo *filidh* Amhairghin, dotado não somente para revelar o futuro, mas também para estabelecer a ligação com os espíritos.

• 4 •

PAÍS DE GALES ENCANTADO: UMA TERRA MÁGICA

Pwyll se dirigiu ao topo de um monte que estava acima da corte, chamado Gorsedd Arberth.

"Senhor", disse um da corte, "a coisa estranha sobre o monte é que qualquer que seja o nobre que se sente sobre ele não sairá dali sem que aconteça uma das duas coisas: será ferido ou machucado, ou então verá algo maravilhoso".

DE "O PRIMEIRO RAMO DOS MABINOGI"

Os mitos galeses são encontrados, basicamente, no que conhecemos como os Mabinogion. Seus quatro ramos consistem em quatro histórias relacionadas, mas independentes: "O primeiro ramo" conta a história de Pwyll, senhor de Arberth; Arawn, deus de Annwfn (o Além-Mundo); e da esposa de Pwyll, Rhiannon; "O segundo ramo" é sobre Brân, senhor de Harlech, sua irmã Branwen e seu esposo Matholwch; "O terceiro ramo" fala sobre o encantamento de Dyfed e das aventuras de Manawydan e Pryderi, filho de Pwyll; e "O quarto ramo" gira em torno do Math, senhor de Gwynedd, seus sobrinhos Gwydion e Gilfaethwy, e do casamento fadado ao infortúnio entre Lleu Llaw Gyffes e Blodeuwedd.

Assim como *Os quatro ramos dos Mabinogi*, há várias outras histórias mais longas, como a história de "Culhwch e Olwen", uma busca na qual o herói epônimo luta para conquistar Olwen realizando feitos impossíveis; "Os espólios de Annwfn"; "O sonho de Rhonabwy"; e "Peredur". Todas essas histórias contribuem para uma tapeçaria vibrante de espíritos, semideuses, criaturas encantadas, caldeirões mágicos, magos, metamorfoses e batalhas entre o bem e o mal.

A comparação entre as tradições míticas galesa e irlandesa revela diferenças importantes entre elas, notadamente na extensão à qual o paganismo é abertamente exibido. A despeito da gênese monástica dos mitos irlandeses escritos, eles são repletos de deuses e deusas e parecem apresentar um sistema religioso completamente pagão, politeísta (de multideidades). Com a exceção do antigo *Vidas*, dos santos Brígida, Patrício e seus pares, a literatura irlandesa cristã é mais ou menos ausente. Mas, embora o paganismo esteja claramente presente na tradição mítica galesa, é mais silencioso. Referências são feitas a Deus, e um ótimo exemplo é o comentário feito pelo javali encantado Twrch Trwyth, em "Culhwch e Olwen", de que Deus o havia mudado da forma humana para a animal devido às suas maldades. Heróis como Brân o Abençoado, Pwyll, Pryderi e Lleu Llaw Gyffes são apresentados como "deuses diluídos", assim como mulheres nobres, como Rhiannon e Branwen.

A figura ancestral divina Llyr produziu muitos dos protagonistas das histórias míticas galesas: Brân o Abençoado, Branwen, Gofannon e Manawydan – os últimos dois têm contrapartes irlandeses próximas: Goibhniu, o deus ferreiro; e Manannán, o deus do mar, filho de Lir (cognato do Llyr galês). Um atento escrutínio das histórias galesas revela a presença de outras deidades pagãs também. De que outro modo podemos interpretar Mabon o Caçador, ajudante de Culhwch nessa busca? Ele deve, certamente, ser identificável com o deus galo-britânico Maponus, cujo nome estava ligado ao do deus caçador clássico Apolo. O simbolismo equestre de Rhiannon a distingue como de origem divina. Ela pode ter se desenvolvido a partir da deusa equina galo-britânica Epona (cf. p. 54).

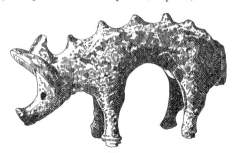

Paul Jenkins
Estatueta de bronze de um javali de Hounslow, Middlesex (próximo a Londres).

Nationalmuseet, Dinamarca
Engaste com face de coruja do caldeirão da Idade do Ferro de Brå, Dinamarca.

● O PANTEÃO E OS HERÓIS GALESES ●

Se os deuses galeses parecem pálidos em comparação ao rico panteão da Irlanda, a mitologia galesa compensa em sua saturação com o sobrenatural. Há magos e ocorrências mágicas em toda parte. As forças do bem e do mal são contrapostas, e o certo parece, basicamente, prevalecer. (A influência ética do cristianismo pode ser vista aqui no triunfo geral do certo sobre o errado.) As histórias abundam de descrições de transformações mágicas: de pessoas em animais ou de ricas terras agrícolas em desertos. Mortos são ressuscitados em caldeirões encantados; animais têm o poder da fala humana; há gigantes tão grandes que seus corpos podem cruzar mares; e cabeças humanas são capazes de sobreviver a decapitações e manter seu poder de partilhar sabedoria.

É significativo que as mulheres proeminentes da mitologia galesa sejam, em sua maior parte, figuras de bastidores, e não figuras ativamente heroicas. Contudo são personagens poderosas, embora apenas como possibilitadoras, instigadoras da guerra e da paz. Por exemplo, o tratamento errôneo de Branwen nas mãos de seu esposo irlandês

Os principais deuses e heróis galeses

Brân o Abençoado (Bendigeidfran)	senhor divino de Harlech, Gwynedd
Branwen, irmã de Brân	catalisadora da guerra entre País de Gales e Irlanda
Pwyll	senhor divino de Arberth (Narberth), Dyfed
Rhiannon, esposa de Pwyll	deusa equina disfarçada
Pryderi, filho de Pwyll e Rhiannon	senhor de Dyfed depois de seu pai
Manawydan	encantador, artesão e deus da agricultura
Math	senhor divino de Gwynedd e deus criador
Lleu Llaw Gyffes, filho de Arianrhod	deus da luz
Arianrhod, mãe de Lleu Arawn	deusa da lua
Arawn	deus do Além-Mundo (Annwfn)
Blodeuwedd	uma mulher amoral criada a partir das flores
Mabon	deus caçador
Gofannon	deus ferreiro
Rhonabwy	um herói de Powys
Peredur	um corretor de erros e inimigo de bruxas más
Artur	um herói da Grã-Bretanha
Culhwch	uma heroína caçadora divina e amante de Olwen
Olwen	amante de Culhwch e filha do gigante Ysbaddaden.

leva a um conflito desastroso entre o País de Gales e a Irlanda, no qual todos, exceto os dois, são aniquilados. Rhiannon parece, à primeira vista, ser uma personagem forte e estimulante, uma deusa do Além--Mundo, capaz de confrontar o poder terreno de Pwyll e de escolher seu próprio esposo. Mas, à medida que a história se desenvolve (cf. p. 81-83), ela, como Branwen, torna-se a arquetípica "esposa caluniada" em vez de uma heroína mítica vigorosa. A única "mulher" realmente forte nos Mabinogion é Blodeuwedd, a adúltera má de "O quarto ramo". Sua poderosa amoralidade é explicada em termos do fato de não ser verdadeiramente humana, conjurada das flores por mágicos. O tratamento das mulheres na mitologia galesa, talvez, mais do que quaisquer outros atributos, denuncia ideologias cristãs, nas quais as mulheres eram, em sua maioria, apêndices desempoderados de homens ou virgens impotentes e desafortunadas (como Goewin, em "O quarto ramo") – ou entes inumanos permeados pelo mal (como Blodeuwedd).

● PWYLL E RHIANNON ●

Ele montou no cavalo e então partiu. Chegou ao plano aberto e mostrou a seu cavalo suas esporas; e, quanto mais o esporava, mais ela distava dele, embora mantivesse a mesma marcha com que havia começado. O cavalo dele se cansou, e, quando percebeu que a velocidade de seu cavalo estava falhando, retornou para onde Pwyll estava.

DE "O PRIMEIRO RAMO DOS MABINOGI"

"O primeiro ramo dos Mabinogi" começa com um encontro sobrenatural entre Pwyll, senhor de Llys Arberth, e Arawn, rei do Além-Mundo. Um dia, quando Pwyll e Arawn estavam caçando, surgiu uma disputa entre eles sobre quais cães haviam derrubado o cervo que ambos estavam perseguindo. Eles acertaram suas diferenças após Pwyll concordar com o pedido de Arawn de que deveriam trocar de lugar por um ano e um dia, e que Pwyll deveria matar o rival de Arawn, Hafgan. Pwyll concordou e passou um ano agradável banqueteando no reino de Arawn.

A descrição prossegue e revela como Pwyll conquistou sua esposa, Rhiannon, o que ocorreu de um modo curioso. Ela apareceu pela primeira vez enquanto ele estava sentado em um monte sagrado (*Gorsedd Arberth*), uma deslumbrante cavaleira coberta de ouro cavalgando um reluzente cavalo branco que nem Pwyll nem seus cavaleiros mais ágeis puderam alcançar. Ela parou apenas quando ele a chamou; casaram-se logo depois.

O modo como seu filho, Pryderi, nasceu e a primeira infância dele foram permeados de magia do Além-Mundo. Primeiro, Rhiannon não concebeu por três anos após o casamento, e os cortesões de Pwyll começaram a se queixar pela ausência de um herdeiro, pressionando Pwyll a se divorciar de sua esposa infértil. Pwyll pediu aos seus homens que lhes garantissem um ano de graça antes de se divorciar dela, e eis que, no verdadeiro espírito da boa contação de histórias, naquele período, Rhiannon deu à luz um filho. E então

---

Gwawl e o "Texugo no saco"

Um dia, quando Pwyll e Rhiannon estavam celebrando seu noivado em um banquete, um jovem apareceu no salão de Pwyll e foi recebido para se juntar às festividades. Como era de costume, ele pediu um favor ao senhor, e Pwyll respondeu que daria ao estranho o que quer que ele desejasse. O homem pediu Rhiannon. Esse viajante, no fim, não era ninguém menos que Gwawl, o pretendente rejeitado de Rhiannon. Ela ficou furiosa, e Pwyll ficou num dilema sobre o que fazer a seguir, pois seria desacreditado se quebrasse sua palavra.

Rhiannon, então, teve uma ideia. Ela deu a Pwyll um pequeno saco, instruindo-o a guardá-lo em segurança. Foi até Gwawl e lhe disse para encontrá-la dali a um ano e um dia, quando lhe daria um banquete e dormiria com ele. Pwyll deveria estar lá quando Gwawl reivindicasse sua noiva, vestindo roupas esfarrapadas e carregando o pequeno saco. O dia das núpcias amanheceu. Gwawl apareceu com seu séquito, e Pwyll chegou com seu saco. Como fora planejado, Pwyll pediu a Rhiannon que enchesse o saco com comida, mas o que quer que se pusesse nele, o saco ainda tinha espaço.

Gwawl perguntou a Rhiannon se o saco jamais seria preenchido; ela respondeu que somente se um poderoso senhor pulasse no saco e esmagasse o seu conteúdo. Gwawl, imediatamente, pulou, e, rápido como um raio, Pwyll fechou a boca do saco, aprisionando o rival. Ele, então, soou uma trombeta para convocar seus homens, e todos atacaram o séquito de Gwawl e os amarraram. Cada homem de Pwyll que entrou no salão deu um poderoso golpe no saco e perguntou o que havia lá dentro. "Um texugo", os outros diziam, e, assim, o jogo do "Texugo no saco" foi criado. Após muita discussão, Gwawl foi libertado e fugiu para lamber seus ferimentos. Naquela noite, Pwyll e Rhiannon consumaram sua união.

tudo começou a ir muito mal. Na véspera de maio (sempre um momento perigoso, porque era o festival de verão celta de Beltane), o bebê recém-nascido desapareceu enquanto as mulheres encarregadas de cuidar dele estavam dormindo. Quando acordaram, ficaram tão aterrorizadas pela punição por sua derrelição do dever que conspiraram para incriminar a mãe, Rhiannon, matando um cachorrinho e espalhando seu sangue nas mãos e na face dela, de modo que assumisse a culpa – e não somente por assassinato, mas também por canibalismo.

A despeito de ser encorajado a executar sua esposa por seu alegado horrível ato, em troca, Pwyll impôs um castigo a ela, que se adequava à sua afinidade com cavalos, introduzida (pelos contadores de histórias) quando Rhiannon e Pwyll se encontraram pela primeira vez. Sua punição era que, por sete anos, teria de agir como se fosse um animal de carga, sentando-se ao lado do degrau de cavalos, junto aos portões da corte, e carregando visitantes ao palácio do rei em suas costas. Assim, os contadores de histórias combinavam uma completa humilhação com um lembrete à audiência do simbolismo equestre de Rhiannon. A consequente resolução da história e a vingança de Rhiannon são contadas adiante (cf. p. 112-115).

● CRIAÇÃO E QUEDA ●

Todos *Os quatro ramos dos Mabinogi* são repletos de entes super-humanos e eventos que oscilam entre as grandes casas da realeza galesa de Dyfed no sul e de Gwynedd no norte. Tensões entre os dois se resolvem nas histórias, e podem muito bem conter subtextos relacionados a conflitos antigos genuínos entre o norte e o sul do País de Gales (rivalidades que sobrevivem até hoje). Não é fácil desenredar os aspectos de "contos de fadas" das histórias, com suas mensagens de bem e mal, sofrimento e alegria, de sua estrutura divina essencialmente pagã. Quem eram os deuses e quem eram os mortais, brinquedos da força espiritual velada?

É "O quarto ramo" que contém, talvez, os elementos mais manifestamente pagãos. Um personagem central, Lleu Llaw Gyffes, filho de Arianrhod, recebeu o nome "Brilhante da Mão Habilidosa" de seu tio Gwydion, porque sua mãe se recusou a nomeá-lo. O nome Lleu quase certamente atrai suas origens como deus da luz, como o irlandês Lugh (Lleu e Lugh também eram deuses das artes). Esse quarto ramo também fornece a coisa mais próxima a um mito de origem encontrado em toda a tradição galesa, a saber, o do Rei Math de Gwynedd e a portadora de seus pés.

A virgem e o rei

Naquele tempo, Math, filho de Mathonwy, não poderia viver, a menos que seus pés estivessem no colo de uma virgem, exceto quando o tumulto da guerra o impedisse. A donzela que estava com ele era Goewin, filha de Pebin, de Dol Pebin em Arfon. E foi a mais bela que sua geração conheceu na época.
De "O quarto ramo dos Mabinogi"

"O quarto ramo" gira em torno da enorme figura de Math, senhor de Gwynedd, filho de Mathonwy. Math era quase certamente de origem divina. Sua história é distinta na mitologia galesa porque talvez reflita um mito pré-cristão da criação e da queda. Uma condição do poder de Math – e, na verdade, de sua vida – era que, a menos que estivesse longe combatendo seus inimigos, ele deveria estar em casa e, bizarramente, sentado com seus pés no colo de uma donzela: a virgindade da garota era imperativo. O nome da portadora de seus pés era Goewin. Essa estranha proibição na regra de Math pode ser mais bem explicada se suas origens repousam na tradição mítica pagã do reino sacro, tão prevalente nos mitos irlandeses, no qual o rei mortal "se casava com" a terra na forma da deusa da soberania. Em uma abordagem galesa, o *status* virgem da "deusa" parece refletir o poder percebido da sexualidade feminina não dissipada, cuja potência concentrada era necessária para que a terra permanecesse próspera.

Mas a conexão entre os pés da realeza e a terra pode ter raízes ainda mais complexas. Quando o Capitão Cook explorou o Taiti, em meados do século XVIII, deparou-se com uma tradição na qual um chefe tribal polinésio, viajando fora de suas terras, tinha de ser carregado, porque qualquer território no qual pusesse os pés, automaticamente, se tornaria seu, arriscando, com isso, guerra entre ele e lideranças vizinhas. Claramente, seria implausível supor conexões diretas entre o País de Gales do início da Idade Média e a Polinésia do século XVIII, mas as observações de Cook nos inspiram a olhar para formas mais profundas de interpretar a situação de Math.

A audiência, ouvindo essa história transmitida oralmente, saberia, desde o início, que essa condição peculiar do reino de Math sobre Gwynedd estava quase fadada a ser violada, e assim foi. Seu sobrinho, Gilfaethwy, cobiçou Goewin e conspirou com seu irmão Gwydion para fomentar um conflito longe de Gwynedd, levando Math a se afastar de sua corte e da portadora de seus pés. Gwydion iniciou uma guerra entre Gwynedd e Dyfed ao sul, ao mencionar a Math que Pryderi, senhor de Dyfed, possuía alguns novos animais, porcos, que nunca haviam sido vistos no norte e cuja carne era reputadamente mais doce que a de gado. Eles vieram de Annwfn, o Além-Mundo, e foram um presente de seu senhor, Arawn. Math os queria, e enviou Gwydion para obtê-los. Ora, Gwydion era um mago, que poderia obter, por encanto, quase qualquer coisa, de qualquer um, por meio de seu dom de contar histórias. Ele foi como um amigo à corte de Pryderi, mas, depois, roubou os porcos por trapaça. Seguiu-se a guerra: as forças de Gwydion prevaleceram, e Pryderi foi morto.

Quando Math retornou para casa, descobriu que a virgem portadora de seus pés não era mais virgem: Gilfaethwy a havia estuprado, desempoderando, assim, o rei. Math retaliou, transformando os dois irmãos em animais selvagens. Ele, imediatamente, dispensou a agora inútil Goewin, casando-a com um nobre de sua corte, e anunciou que buscava uma substituta. Uma candidata, Arianrhod ("Roda de Prata"), se voluntariou. Ela tinha que passar em um teste de virgindade, caminhando sobre a vara mágica de Math. Tristemente, ela fracassou de forma absoluta: enquanto caminhava sobre a vara, deu à luz gêmeos. O primeiro, Dylan, partiu para o mar e desapareceu dos mitos; e o segundo foi pego e criado por Gwydion. Os contadores da história falham em dizer se Math conseguiu ou não recrutar uma nova portadora para seus pés. Se não conseguiu, a inferência é que seu poder foi diminuído.

Pela vergonha em ter falhado no teste de virgindade, Arianrhod repudiou completamente seu segundo filho. Lançou sobre ele uma maldição, de que não teria nome, a menos que ela escolhesse; e que nunca teria uma esposa. Gwydion, o tio do filho, contornou todas essas proibições por meio de magia. Assim, o segundo filho de Arianrhod foi nomeado Lleu Llaw Gyffes. Para superar a terceira das proibições da mãe, Lleu conseguiu uma esposa mágica, conjurada das flores por Gwydion. Seu nome era Blodeuwedd ("Mulher-Flor"), mas ela foi infiel e conspirou para assassinar o esposo (cf. p. 135-137).

Mortalmente ferido por um golpe da lança de Gronw, amante de Blodeuwedd, Lleu deu um grande urro, transformou-se em águia e voou para um carvalho, onde Gwydion acabou o encontrando, levado ao local por uma leitoa que se alimentava debaixo da árvore (porcos novamente!).

● A TIGELA DE OURO E A TERRA ENCANTADA ●

E, no extremo da fonte, uma tigela de ouro se prendia a quatro correntes, sobre um pedaço de mármore, e as correntes se elevavam no ar; e ele não podia ver onde terminavam. Ele ficou encantado pela beleza do ouro e pelo acabamento excepcional da tigela, chegou onde a tigela estava e se apossou dela. E, tão logo se apossou dela, suas duas mãos grudaram na tigela, e seus pés, ao pedaço de mármore no qual estava, e todo o seu poder de fala o abandonou, de modo que não pôde proferir palavra alguma. DE "O TERCEIRO RAMO DOS MABINOGI"

Manawydan, filho de Llyr, principal protagonista de "O terceiro ramo", era da casa galesa real de Dyfed e irmão de Brân e Branwen. Como seu divino equivalente Manannán mac Lir, Manawydan era um mago e um trapaceiro. Ele também possuía uma habilidade consumada como artesão. Manawydan se casou com Rhiannon, heroína de "O primeiro ramo", após a morte de seu primeiro esposo, Pwyll. Outra ligação entre os dois ramos era o *Gorsedd Arberth*. Em "O primeiro ramo", esse lugar especial permitiu que Pwyll avistasse pela primeira vez Rhiannon. Mas o encontro de Manawydan com o *Gorsedd* se mostrou catastrófico. Ele e sua nova esposa subiram ao monte com Pryderi, seu enteado, e a esposa de Pryderi, Cigfa. Enquanto faziam isso, uma maldição foi lançada sobre a terra de Dyfed, que simplesmente desapareceu: nada restou para ser visto senão névoas.

Os quatro decidiram viajar para a Inglaterra em busca de sua sorte, deixando o vazio de Dyfed para trás. Quando chegaram a uma cidade, os dois homens abriram uma oficina como ferreiros, sapateiros ou seleiros, mas eram tão bons em suas ocupações que tiraram o negócio de todos no local e foram expulsos por seus concorrentes furiosos. Assim, acossados fora da Inglaterra, todos retornaram para onde havia sido Dyfed e sobreviveram da caça. Mas o Além-Mundo jamais era longe. Durante uma expedição de caça, Manawydan e Pryderi encontraram um javali sobrenatural imenso, de um branco brilhante (como o cavalo branco de Rhiannon), que atraiu os caçadores e seus cães para um estranho castelo. Manawydan hesitou, desconfiado do lugar, mas, a despeito das advertências de seu companheiro, Pryderi insistiu em seguir o animal até o castelo. Lá dentro, a primeira coisa que viu foi uma tigela de ouro reluzente suspensa do teto com correntes. Quanto a tocou, um encanto caiu sobre ele, de modo que não pôde se mover nem falar. Sua mãe, Rhiannon, soube do que aconteceu, seguiu-o até ao castelo e foi igualmente enfeitiçada.

Manawydan não pôde mais caçar, pois seus cães haviam desaparecido com Pryderi, e, assim, voltou a cultivar a terra e começou a plantar trigo. Essa parte do mito poderia ser um remanescente de uma história antiga da origem que buscava explicar como a agricultura foi introduzida no País de Gales (assim como o roubo dos porcos sobrenaturais de Pryderi por Gwydion pode ser uma história mítica para explicar a introdução da criação de porcos). Justo quando Manawydan estava prestes a colher sua lavoura, dois de seus campos foram devastados por uma praga de ratos.

Ele ficou de emboscada, esperando que os ratos atacassem o próximo campo, mas foram rápidos demais para ele, exceto por uma, prenhe, muito lenta para escapar. Em uma cena de punição bizarra, ele tentou enforcar a rata, mas foi interrompido por um bispo, que tentou impedir a morte dela. Manawydan reconheceu o "bispo" como um colega mago, o qual havia destruído Dyfed com feitiços malignos por conta de um antigo ressentimento contra Rhiannon e seu primeiro esposo, Pwyll. A "rata" era sua esposa. Manawydan negociou com ele a vida dela, exigindo a restauração de Dyfed e a libertação de Pryderi e Rhiannon da tigela encantada. Em troca, Manawydan poupou a "rata", que voltou à forma humana.

● TIGELAS MÁGICAS ●

Qual o significado da tigela dourada que lança um feitiço paralisante sobre Pryderi e Rhiannon? Tigelas, louças e cálices de metais preciosos foram símbolos importantes de prosperidade e, talvez, de função religiosa ao longo do começo da Idade do Ferro e do período cristão na Grã-Bretanha e na Europa. Num extremo do espectro está a tigela folheada a ouro de Zürich Altstetten, feita no século VI a.C. A vasilha foi decorada com um friso de cervos, lebres e luas crescentes e cheias alternadas. Certamente, deve ter sido um objeto cerimonial, usado pelo clero em atividades rituais, talvez associada à noite.

Do outro lado da linha de tempo cronológico está o esplêndido cálice cristão irlandês de prata, com interior de ouro, feito por volta de 700 d.C. e encontrado em Ardagh, Condado de Limerick. Tigelas como essas, fossem pagãs ou cristãs, não representam apenas a

Landesmuseum, Zurique
Tigela cinzelada de ouro, século VI a.C., de Zürich Altstettenk, decorada com lebres, cervos e luas.

National Museum of Ireland, Dublin
O cálice de prata Ardagh, c. 700 d.C., traz os nomes dos apóstolos junto a desenhos celtas elaborados com ornamentos animais.

bebida, mas também a transformação. O licor é o suco da fruta ou o grão transformado em uma bebida alcoólica. De acordo com a tradição cristã, um cálice contém o vinho que se torna o sangue de Cristo durante a Eucaristia. O escritor cristão que registrou as histórias míticas galesas pode muito bem ter tido cálices de ouro e prata em mente quando escreveu sobre a vasilha mágica que encantou Pryderi e Rhiannon. Se é assim, a história é um maravilhoso amálgama de

O Santo Graal

Uma característica icônica e duradoura da literatura celta medieval é a história do Santo Graal. As lendas sobre o Graal não se originaram no País de Gales, mas na França. A descrição mais antiga, de Chrétien de Troyes, data de cerca de 1180. A história do Graal é, principalmente, uma "história de busca". É apenas um dos romances arturianos franceses. O personagem principal era Percival, um cavaleiro arturiano que, enquanto vagava pela floresta, encontrou um ancião manco que o convidou para seu castelo. Enquanto jantavam lá, Percival testemunhou uma estranha procissão, liderada por um escudeiro carregando uma lança pingando sangue, seguido por uma bela jovem segurando um cálice ou um prato adornado com joias, chamado *graal*. Depois dela, vieram portadores de velas e um grupo de cortesões vestidos com roupas de luto.

Polido demais para perguntar sobre o que havia visto, Percival foi dormir, e, quando levantou na manhã seguinte, o castelo estava deserto. Ele prosseguiu suas viagens, mas, ao longo do caminho, encontrou uma jovem que o repreendeu por não perguntar sobre a procissão que havia visto no castelo. Esse encontro levou Percival a uma agonia de dúvida e anseio, e ele começou a longa busca para encontrar novamente o castelo e descobrir o segredo do graal.

Outros autores franceses medievais pegaram a história do graal de Chrétien e a embelezaram, de modo que se entrelaçou com José de Arimateia: a lança pingando sangue pertencera outrora a Longino, o soldado romano presente na Crucificação, e o graal, o cálice usado por José para coletar o sangue de Cristo. De acordo com um ramo da lenda, o graal era identificado como o cálice usado por Cristo na Última Ceia.

---

tradições pagã e cristã, na qual animais encantados irrompem do Além-Mundo para atrair os humanos de volta com eles, e a taça da igreja "cristã" foi jogada na mistura a fim de transmitir um subtexto semioculto de poder cristão.

● PAÍS DE GALES *VS.* IRLANDA: A GUERRA DOS MUNDOS ●

Evidências arqueológicas indicam fortes conexões entre a Irlanda e o oeste da Grã-Bretanha do início da pré-história em diante. A mitologia galesa faz referências recorrentes a ligações com a Irlanda que nem sempre são amigáveis. Um dos eventos mais cataclísmicos descritos em *Os quatro ramos dos Mabinogi* foi a grande guerra entre País de Gales e Irlanda, um conflito que quase destruiu os dois países.

Uma função do mito é explicar as origens de alianças e confrontos entre comunidades autodeterminadas. Na sociedade hiberno-britânica do começo da Idade Média, o mar irlandês conectava em vez de dividir as terras em suas fronteiras. Mas compartilhar esse "Lago Celta" claramente tinha o potencial para tensões, assim como para tratados de amizade, particularmente se grupos rivais estivessem competindo por terra, pesca ou recursos minerais. O principal foco de "O segundo ramo dos Mabinogi" é uma querela entre o Rei Brân de Harlech, no norte do País de Gales, e o Rei Mathoolwch da Irlanda sobre o noivado do último com Branwen, a irmã de Brân. O começo da história parece um pouco artificial para sugerir tensão, uma vez que, embora o rei irlandês estivesse fazendo uma jornada ao País de Gales a fim de pedir a mão de Branwen em casamento, o surgimento de seus 13 navios à costa norte do País de Gales parece vir como uma surpresa total para a corte de Harlech. Na verdade, quando a frota é avistada pela primeira vez, Brân e seus homens pensam que é uma invasão inimiga e se armam prontamente para defender sua terra.

Matholwch garante a Brân que viera em amizade e tenta se casar com Branwen. O irmão concorda, e todos, galeses e irlandeses, partem para Aberffraw, na Ilha de Anglesey, o local principal dos lordes de Gwynedd. Talvez esse lugar tenha sido escolhido como um centro cerimonial devido à sua posição, em uma ilha no extremo da Grã-Bretanha: é isolado, com uma linha costeira brutalmente acidentada, separada do continente por uma faixa estreita de água caracterizada por correntes perigosas, e acessível somente a navios de fundo plano ou pequenos barcos. Quando todos os cortesões das duas terras haviam se reunido, um grande banquete de celebração começou. Porém os banquetes tiveram de ocorrer em tendas, porque Brân era muito grande para caber em qualquer prédio.

Mas um desastre em breve estragaria a festividade, quando Efnisien, irmão de Branwen, mutilou de forma selvagem os cavalos de Matholwch em sua fúria pelo noivado. O único presente que acalmaria o noivo pretendente de Branwen era a riqueza mais valiosa de Brân: seu caldeirão de renascimento. O casamento, então, ocorreu, e Branwen zarpou para seu novo lar na Irlanda. Mas o insulto de Matholwch não fora perdoado nem esquecido, e Branwen sofreu um mau tratamento severo na corte irlandesa. Ao saber do apuro da irmã, Brân declarou guerra à Irlanda. Caldeirões podem ser imprevisíveis. Matholwch usou a vasilha regeneradora da vida de Brân contra ele. Toda noite, soldados irlandeses mortos em batalha eram imersos no caldeirão e emergiam aptos a lutar, prontos para voltar à batalha. Mas eram zumbis, corpos não mortos que não podiam falar nem fazer coisa alguma além de lutar.

Finalmente, o destino de Efnisien, o instigador de todo o problema, e o caldeirão se uniu: Efnisien pulou para dentro, matando-se e fazendo com que a vasilha se partisse em quatro pedaços. Branwen ficou com o coração partido com tudo o que acontecera, culpando-se pela carnificina. Ela morreu às margens do Rio Alaw, próximo a Holyhead, de onde podia olhar sua pátria marital a partir daquela de seu nascimento.

Na Irlanda, as únicas pessoas deixadas vivas após o massacre pelos galeses foram cinco mulheres grávidas em uma caverna. Cada uma deu à luz um menino exatamente ao mesmo tempo. Quando as crianças cresceram, cada uma fez sexo com a mãe da outra e dividiram a terra em cinco lotes, que se tornaram as cinco províncias medievais da Irlanda. Os cinco homens vasculharam a terra em busca dos espólios de batalhas passadas e ficaram ricos com o ouro e a prata que encontraram. Talvez essa história particular se relacione com a descoberta, nos tempos medievais, de alguns dos ricos objetos de ouro conhecidos das idades do Bronze e do Ferro da Irlanda.

• PEREDUR E A BRUXA •

*"Há nove bruxas aqui, amigo", disse a senhora a Peredur, "com
o pai e a mãe delas. São as bruxas de Caerloyw. E, ao nascer
do sol, será mais fácil morrermos do que escaparmos. E elas se
apropriaram e devastaram a terra, exceto por essa única casa".*
DE "PEREDUR"

O jovem herói Peredur era o sétimo filho de Earl Efrog (o nome é
o da antiga cidade York, e Efrog é creditado como o fundador da
cidade medieval). Peredur é, provavelmente, o mesmo personagem
Percival no romance do graal arturiano de Chrétien de Troyes. Efrog
e seis de seus filhos foram mortos em batalha; o único sobrevivente
foi Peredur. Na história galesa, a mãe dele buscou preservar sua vida
e, assim, o pegou e o escondeu na floresta. Um dia, enquanto vagava,
o jovem encontrou um dos cavaleiros de Artur. Quando contou à
mãe sobre isso, ela lhe disse para ir à corte de Artur. Após muitos
reveses e confrontos de combate individual com nobres, Peredur
chegou à corte em Caerleon.

Um tema recorrente da história de Peredur é o infindável conflito
entre bem e mal. A representação mais vívida do segundo é personifi-
cada pelas Nove Bruxas de Caerloyw (Gloucester). Na verdade, uma
linha subjacente de significado em "Peredur" diz respeito às ligações
que faz entre diferentes partes da Grã-Bretanha: norte da Inglaterra,
oeste e sudeste do País de Gales. Peredur recebeu uma advertência de
uma senhora contra as Nove Bruxas: essas mulheres inimigas haviam
devastado toda a terra ao redor de seu castelo. Ao amanhecer do dia
após a advertência, Peredur encontrou uma das bruxas atacando o
vigia do castelo. O herói interveio e golpeou sua cabeça. A bruxa o reconheceu, chamando-o pelo nome e prevendo que estava destinada a ser
ferida por ele. Ela prossegue, advertindo-o que deveria instruí-lo na
arte da guerra. Esse treinamento militar por uma mulher é altamente
reminiscente da instrução do herói Ulster Cú Chulainn em habili-

PAÍS DE GALES ENCANTADO: UMA TERRA MÁGICA

Barbara Crow
Peredur vem em auxílio de um vigia, que está sendo estrangulado por uma das Nove Bruxas de Caerloyw.

O número nove na mitologia galesa

As Nove Bruxas de Peredur apresentam uma das muitas ocasiões na mitologia celta em que números, particularmente três e seus múltiplos, eram altamente carregados de importância sobrenatural. A excursão de Artur a Annwfn (o Além-Mundo galês), como relatado em "Os espólios de Annwfn", envolve um encontro com nove virgens sagradas que cuidavam de um caldeirão mágico que Artur tenta roubar. Mais de mil anos antes, o autor romano Pompônio Mela escrevera sobre outro conjunto de nove sacerdotisas virgens, que habitavam uma das ilhas da Sicília, no extremo oeste da Cornualha. Essas mulheres serviam como um oráculo famoso e também possuíam poder de prever o futuro, curar doentes e, inclusive, controlar o mar, o vento e o clima.

dades de batalha por Scáthach, cujo nome, "A Sombria", proclama seu *status* (cf. p. 106-108) sobrenatural. Como as bruxas de Peredur, Scáthach também era uma vidente. Peredur extraiu da bruxa a promessa de que a senhora das terras do castelo não fosse mais prejudicada. Ele, depois, viveu com as Nove Bruxas por três semanas, enquanto recebeu delas instrução na arte da guerra.

Algum tempo depois, o herói descobriu que as bruxas estavam ativas novamente, dessa vez atacando a própria família de Peredur, matando um primo e mutilando um tio. Peredur recrutou a ajuda de Artur e um parceiro cavaleiro Gwalchmai, levando um bando de guerreiros para combater as bruxas. As mulheres profetizaram que Peredur e seu exército as destruiriam, e assim aconteceu. As bruxas de Caerloyw parecem ter tido exatamente as mesmas funções que as fúrias de batalha irlandesas, a Badbh e a Morrígan: elas eram profetisas, associadas à batalha, intensamente destrutivas; e seu destino estava estreitamente vinculado aos heróis jovens, em uma relação dicotômica entre bem e mal.

● O ENIGMA DE ARTUR ●

"Segue teu caminho", disse ela, "para a corte de Artur, onde estão os melhores, os mais generosos e bravos homens. Onde quer que vejas uma igreja, recita teu Pai-nosso a ela. Se veres carne e bebida, e estando tu em necessidade e se não te forem dadas por cortesia e boa vontade, apropria-te delas. Se ouvires um grito, vai em sua direção, e do grito de uma mulher sobre qualquer grito no mundo."

DE "PEREDUR"

Artur é uma figura persistentemente icônica nos mitos e nas histórias medievais. Nos mitos galeses, ele é associado a uma mistura curiosa de cristianismo e magia pagã. Deus é frequentemente mencionado, mas está em meio a animais encantados e caldeirões mágicos. O nome de

Artur e o sonho de Rhonabwy

A história mítica galesa conhecida como "O sonho de Rhonabwy" data do século XIII em sua forma escrita e diz respeito ao reino de Powys e seu governante Madawg, cujo irmão, Iorwoerth, encrenqueiro, buscava depor o governante legal atacando o interior e seu povo. Madawg convocou seus seguidores para procurar por Iorwoerth, e um desses era Rhonabwy. Como seu nome indica, a história é tecida em torno de um sonho que esse homem teve enquanto dormia sobre uma pele de boi durante a batalha, no qual teve uma complexa visão.

Artur era uma pessoa proeminente no sonho, e é referido como o imperador da Grã-Bretanha, cuja inimizade com Iddawg, o "Enrolador da Grã-Bretanha", levou à Batalha de Camlann, por volta de 540 a.C. (Essa batalha entre os britânicos cristãos e os saxões pagãos é conhecida, historicamente, a partir dos *Anais de Páscoa*.) Uma das características sobrenaturais do "Sonho" é o exército mágico de gralhas negras de Owen que lutou contra os guerreiros de Artur enquanto os dois homens estavam jogando o antigo jogo de tabuleiro de *gwyddbwyll*. O exército de gralhas negras venceu, mas a paz foi estabelecida entre os dois. Quando o jogo terminou, Rhonabwy acordou de seu sonho, tendo dormido por três dias e três noites.

Artur é associado a vários locais, incluindo Caerleon (seu anfiteatro romano foi imaginado como sendo a Távola Redonda original), o monastério celta em Tintagel, na Cornualha, e a Abadia Glastonbury, em Somerset. Muitos nomes de lugares reivindicam associação: da Pedra de Artur, uma câmara mortuária do neolítico em Herefordshire, à Cadeira de Artur, uma fortificação da Idade do Ferro em Edimburgo. As principais histórias arturianas estão contidas nos romances franceses medievais, principalmente aquelas compiladas por Chrétien de Troyes no fim do século XII. Mas Artur é mencionado em várias histórias mitológicas galesas, incluindo "Culhwch e Olwen" e "Peredur". Ele está sempre presente como uma figura heroica maior que a vida, um exímio guerreiro cercado por cavaleiros galantes.

Nas fontes históricas antigas, como *Historia Brittonum*, de Nênio, do século IX, Artur é apresentado como um defensor da Grã-Bretanha contra invasores estrangeiros, fossem do norte, do oeste ou do leste. Como uma figura histórica, sua vitória mais importante foi contra os ingleses no Monte Badon, próximo a Bath, no começo do século VI. Ele não era um rei nem o fundador de uma dinastia. Era um líder de guerra, o chefe de um grupo de pequenos reinos que emergiram na Grã-Bretanha logo após sua separação do Império Romano, no começo do século V. As lendas que se agrupam em torno de Artur são muito mais importantes do que ele próprio. A figura histórica viva de Artur inspirou toda uma constelação de histórias sobre o cavalheirismo, o heroísmo e as habilidades superiores de combate medievais que se estendia não apenas ao País de Gales como também a toda Grã-Bretanha e além.

© Crown Copyright (2014) Visit Wales
Reconstrução do anfiteatro romano em Caerleon, País de Gales, como pode ter sido no fim do século I ou no começo do século II d.C.

• 5 •

A PORÇÃO DO CAMPEÃO: HERÓIS MÍTICOS

Quando muitas pessoas jantam juntas, elas se sentam ao redor em um círculo com o homem mais influente no centro… se ele superar os outros em habilidades bélicas, nobreza de família ou riqueza… Quando os melhores cortes de carne eram servidos, o herói mais corajoso pegava o pedaço da coxa, e se outro homem o reivindicava, eles se levantavam e lutavam um combate individual até a morte.
ATENEU IV

No século III d.C., o escritor grego Ateneu registrou uma série de práticas que costumavam ser seguidas pelos gauleses, sem mencionar a importância do banquete e de escolher horas de refeições comunais para honrar seus maiores guerreiros. O foco desses banquetes era a carne, que, de acordo com o escritor anterior Diodoro, era cozida em caldeirões e assada em espetos. A bebida alcoólica em uma caneca era compartilhada passando de homem a homem, mas o vencedor supremo era sempre honrado com a melhor porção de carne. As pessoas comiam a carne pegando pedaços grandes dela em ambas as mãos e dando mordidas grandes.

Dois elementos dos comentários desses autores clássicos são importantes para a mitologia celta: a refeição e a bebida compartilhadas, e a "porção do campeão". Ambos os temas desempenham papéis importantes na literatura mítica irlandesa e galesa, e o excessivo consumo, tanto de carne – particularmente de porco – quanto de bebida, é associado aos Além-Mundos galês e irlandês. Ainda mais importante, a seleção e o apoio de um rei irlandês dependiam de sua generosidade ao povo e de sua capacidade em prover presentes aos seus nobres. Um rei, Bres, fracassou miseravelmente: sua mesquinhez era lendária e foi alegadamente a causa direta do fracasso da colheita, uma indicação de que a própria Irlanda havia lhe dado as costas e retirado sua soberania.

• A BEBIDA DO PODER NA IDADE DO FERRO EUROPEIA •

Consumido ao excesso, o álcool, como qualquer droga psicotrópica, pode confundir as mentes e induzir a experiências "fora do corpo". Na Europa pré-histórica tardia, a bebida parece estar especialmente associada a rituais funerários e a ocasiões cerimoniais, talvez porque, segundo a crença, seja um meio de fazer contato com o mundo dos espíritos. Ao longo da Idade do Ferro britânica e europeia, havia um hábito persistente de enterrar os mortos da elite com utensílios de comida e bebida, não apenas para um indivíduo, mas para festas de jantares, similares aos *symposia*, os clubes masculinos da Grécia antiga. A tumba de um chefe tribal que morreu por volta de 550 a.C. em Hochdorf, na Alemanha, continha um sofá sobre o qual jazia o corpo, junto a um serviço de jantar para nove e um grande caldeirão grego com 300 litros de hidromel. Nove chifres de beber estavam pendurados nas paredes da tumba, e o chifre de beber do próprio chefe tribal, colocado acima de sua cabeça, tinha uma capacidade de 5,5 litros de bebida.

Grupos de funerais de cremação de *status* elevado no sudeste da Inglaterra e do norte da Gália exibem a preocupação recorrente com o banquete funerário. Aqui, a ênfase era no vinho mediterrâneo, e as ânforas (vasilhas de cerâmica para o transporte do vinho) eram colocadas em tumbas, junto a cálices, coadores de vinho, jarros para óleo de oliva e baldes cilíndricos contendo bebida local, cerveja ou sucos de frutas fermentadas. O propósito de enterrar esse material era o de enfatizar a importância do consumo abundante de bebida, e talvez o foco desses funerais fosse se comunicar com os deuses e, assim, facilitar o rito de passagem para os falecidos, de modo que pudessem entrar no Além-Mundo sem dificuldades.

As evidências da Idade do Ferro para banquetes de larga escala são também refletidas na Irlanda antiga. Copos de bebida bem-feitos, como o de Keshcarrigan, no Condado de Leitrim, com sua alça de cabeça de pássaro, poderiam pertencer ao período da Idade do Ferro ou ao começo da era cristã, e eram claramente para ocasiões mais importantes do que o uso doméstico diário. A grande caneca de Carrickfergus, no Condado de Antrim, como suas equivalentes do fim da Idade do Ferro do País de Gales, foi concebida para passar de mão em mão com uma bebida compartilhada, como descrito por Diodoro. Talvez, vasilhas de bebida como essas fossem usadas em eventos religiosos comunitários e depois podem ter sido também enormemente carregadas de santidade ou de força espiritual para permanecer em circulação, de modo que recebiam um enterro honorável em pântanos (considerava-se que a água fosse uma passagem entre os mundos de pessoas e espíritos). Mas que afirmação maior sobre a importância do banquete poderia ser encontrada do que o enorme chifre de bebida irlandês com borda de bronze do século XII, o Chifre de Kavanagh Charter, que seria usado, 300 anos depois, como base para legitimar uma reivindicação ao reino de Leinster?

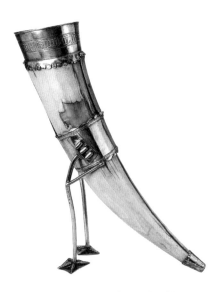

National Museum of Ireland, Dublin
O Chifre Kavanagh, usado na cerimônia de posse do Rei Kavanagh de Leinster, Irlanda, no século XII d.C.

• O BANQUETE DO ALÉM-MUNDO •

O porco do Mac Da Thó foi sacrificado para o banquete. Esse porco fora nutrido por sessenta vacas leiteiras por sete anos, e foi trazido ao banquete com quarenta bois colocados sobre ele.
Do *Táin Bó Cuailnge*

A mitologia irlandesa e galesa contém referências constantes a um Além-Mundo de banquetes e caças incessantes. Na Irlanda, os núcleos do banquete eram caldeirões de comida sempre reponíveis e porcos autorregenerantes. Cada deidade tinha sua própria hospedaria de *sídh*, e, em cada uma, o banquete era central. Uma história irlandesa, a "Hospedaria de Da Derga", pinta uma imagem assustadora de um "assado de porco", em que o mesmo porco era sacrificado e comido a cada dia, ou seja, ele renascia e era morto novamente; aqui, o senhor do banquete é descrito como um homem carregando um porco sobre seu ombro, cozido, mas ainda guinchando. Ele aparecia a Conaire, um rei Ulster, como um homem monstruoso com um olho, uma mão e um pé, com canelas tão grossas quanto cangas e nádegas do tamanho de enormes queijos, todas essas anormalidades caracterizando-o como pertencendo ao Além-Mundo.

Uma história no *Ciclo do Ulster* chamada "O porco de Mac Da Thó" é especificamente sobre a porção de carne de porco do campeão, usada como um foco na intensa inimizade entre Ulster e Connacht. Mac Da Thó era um rei de Leinster que possuía um enorme cão que era cobiçado pelo povo das duas províncias. O rei prometeu presentear o cão ao povo de ambas. Quando ambos vieram reclamar o animal, o rei de Leinster convidou-os a participar de um banquete em seu grande salão, no qual a peça central era um porco gigante assando. Altercações irromperam entre os guerreiros de Ulster e Connacht sobre quem deveria ser presenteado com a porção do campeão, e Mac Da Thó soltou seu cão para ver que lado ele apoiava: o cachorro escolheu os homens de Ulster, e os de Connacht foram derrotados. Dado que a história era parte do *Ciclo do Ulster*, o resultado dificilmente surpreende.

Porcos encantados

A história do Novo Testamento bíblico do porco Gadarene é uma história de possessão. Quando Jesus expulsa uma "legião" de demônios de um homem doente, ele envia os espíritos para um rebanho de suínos, que, depois, enlouquecem e se jogam de um penhasco para a morte. Como veremos no capítulo 6, porcos encantados são um tema comum nos mitos celtas, e isso se deve, provavelmente, ao fato de a carne de porco ter sido um alimento simbólico e de *status* elevado e porque o javali selvagem era considerado o mais bravo dos animais.

A ênfase na carne de porco nas histórias míticas irlandesas corresponde à sua aparição no registro arqueológico britânico e europeu da Idade do Ferro como carne de *status* elevado. Juntas de carne de porco eram frequentemente colocadas com os mortos entre os pertences da tumba, cuja riqueza indica a posição elevada da pessoa morta. Um grupo distinto de tumbas são as assim chamadas "tumbas com biga", de meados da Idade do Ferro tardia, encontradas, basicamente, no leste de Yorkshire e na região do Marne, leste da França. Características dessas tumbas incluem o sepultamento de um homem ou uma mulher junto com uma carroça de duas rodas leve, inteira ou desmontada, pertences funerários de metal, incluindo armas ou itens pessoais, e os restos dos lados da carne de porco.

A reverência e a aceitação da bravura de javalis selvagens é demonstrada pelo uso do javali como um emblema por guerreiros da Idade do Ferro, que usavam símbolos ou elmos e escudos quando em batalha. Durante o século I a.C., alguém fez uma oferenda, talvez aos deuses da vitória, no rio de Lincolnshire, Withan, de um escudo adornado com uma imagem fantástica de um javali. Trombetas de guerra, chamadas *carnyces*, com suas bocas da forma de cabeças de javalis, eram levadas à batalha, fazendo um ruído tão assustador e confuso que os escritores clássicos comentavam que essa guerra psicológica no campo de batalha era quase sempre tão efetiva quanto uma arma.

Musée d'Archéologie Nationale, St-Germain-en-Laye
Figura de pedra de um homem vestindo um torc (colar) do fim da Idade do Ferro, com um javali selvagem caminhando ao longo de seu dorso.

Banquetes também tiveram seu lugar no Além-Mundo galês. A descrição mais vívida aparece em "O primeiro ramo dos Mabinogi", quando Pwyll, o senhor heroico de Dyfed, muda de lugar com Arawn, rei do Além-Mundo, por um ano e um dia. Quando Pwyll chegou, encontrou a corte mais abundante que jamais vira, com grandes salões, escudeiros que o esperavam, a rainha de Arawn vestida em rica seda bordada com fios de ouro, cavaleiros e senhoras com joias, e mesas repletas de comida e bebida, cuja abundância jamais encontrara antes. Pwyll passou seu ano caçando, celebrando, cantando e conversando.

● O HERÓI CELTA ●

Heróis são centrais ao mito, porque são super-humanos, semidivinos e eliminam a divisão entre o mundo material e o espiritual. Esses personagens "intangíveis" híbridos, argutos são imensamente poderosos, mas também vulneráveis, porque não pertencem a nenhum grupo, e os deuses não conseguem resistir a meter-se com eles, muitas vezes usando-os em disputas pela supremacia divina. Vemos isso na mitologia clássica, no tratamento de "grandes homens", com Aquiles, Hércules e Enéas.

Na mitologia celta, heróis – quase todos homens – eram o epítome, o ideal platônico das virtudes masculinas. Alguns, como o Brân galês, eram gigantes; outros, dos quais o herói Ulster Cú Chulainn é o mais proeminente, tinham qualidades sobre-humanas como guerreiros, mesmo durante uma infância estranhamente precoce.

Heróis e combate individual

Ele se ergue no campo de batalha
em couraça e manto vermelho.
Pela sinistra roda da biga;
o Homem Deformado distribui morte…
Ele destruirá multidões inteiras;
em denso massacre.
Aos milhares vocês entregarão suas cabeças.
Eu sou Fedelm. Eu nada oculto.
Do *Táin Bó Cuailnge*

Assim, a profetisa Fedelma avisou Medbh sobre a proeza individual em batalha do herói de Ulster, Cú Chulainn (cf. adiante). A peça central das histórias em prosa mítica Ulster é o *Táin Bó Cuailnge*, a saga da guerra entre os grandes estados irlandeses de Ulster, cujo rei era Conchobar, e Connacht (Connaught), governado pela Rainha Medbh. O conflito duradouro entre os dois irrompeu devido a uma rivalidade entre dois grandes touros: Donn (Marrom), de Ulster, e Finnbhennach, o touro "de chifres brancos", de Connacht. Embora o touro de Medbh fosse reconhecido por sua coragem e impetuosidade, ela cobiçava Donn e tentou "tomá-lo emprestado". Quando o povo de Ulster recusou, a rainha reuniu um grande exército para invadir Ulster e roubar Donn, e a grande guerra iniciou. O povo de Ulster estava em desvantagem devido a uma maldição que os tornou tão fracos quanto as mulheres em trabalho de parto. O único homem isento dessa maldição era Cú Chulainn, e ele, como o herói super-humano que era, tomou o poder de Connacht sozinho, com a ajuda de seu avatar divino, a deusa da batalha Badbh. Os dois touros também lutaram entre si: Donn, de Ulster, matou o touro de chifres brancos de Medbh, mas, depois, morreu de exaustão.

O combate individual e o herói individual são tropos comuns na mitologia: basta lembrar a batalha entre Aquiles e Heitor aos portões de Troia, e de Davi e do gigante filisteu Golias no Antigo Testamento

A PORÇÃO DO CAMPEÃO: HERÓIS MÍTICOS

bíblico. Ao descrever como batalhas eram travadas entre os gauleses da Idade do Ferro no século I a.c., escritores clássicos se referem apenas a essa forma de preliminares: as linhas de batalha seriam ordenadas, e cada lado apresentaria um herói para lutar um combate individual. Por vezes, isso não iria além de fanfarronice e pavoneamento, exibição de armaduras de qualidade, ameaças e troca de palavras beligerantes. Mas, se o combate físico ocorresse, seu resultado, muitas vezes, decidia a vitória ou a derrota sem derramamento de sangue geral. O papel do herói como um campeão de batalha era, portanto, supremamente importante para as comunidades, não apenas pelo *status*, mas também por ajudar a evitar o desperdício do efetivo limitado.

• CÚ CHULAINN: O CÃO DE CULANN •

"Até que o cão cresça para fazer esse trabalho, serei seu cão e guardarei você e seus animais. E guardarei toda Planície Muirthemne. Nenhuma manada ou rebanho deixará meu cuidado sem que eu saiba."
"Cúchulainn será seu nome, o cão de Culann", disse Cathbad.
Do *Táin Bó Cuailnge*

O herói supremo de Ulster, Cú Chulainn, é descrito como maior que a vida e de *status* sobrenatural. Sua paternidade era incerta, mas ele, provavelmente, era filho de Lugh, deus da luz e das artes. Como cabe a um gigante entre mortais, sua infância foi marcada por atos memoráveis, como aquele em que, com apenas cinco anos, ele derrotou sozinho 50 jovens brigadeiros do Rei Conchobar. Enquanto ainda era criança, exigiu que lhe dessem armas e se tornou um guerreiro completamente maduro; após despedaçar 15 conjuntos de armas, finalmente aceitou aquelas que pertenceram ao próprio rei, mas não antes de terem sido reforçadas para torná-las fortes o bastante para resistir ao vigor de seu novo dono infante. A extrema precocidade de Cú Chulainn também era indicada por sua aparência física. Não era só extraordinariamente bonito, mas também tinha anomalias físicas: cabelo de três cores, sete pupilas em cada olho e sete dedos em cada mão e pé.

O termo "Cú" significa "cão" em irlandês e era muitas vezes usado como uma forma de título privilegiado para guerreiros particularmente valorosos e habilidosos. O nome de Cú Chulainn era Sétanta, mas adquiriu sua alcunha de um modo curioso. Durante sua infância, matou o cão de Culann o Ferreiro e, como uma pena autoimposta, prometeu atuar no lugar do cão e guardar a forja, a ponto de se nomear como o cão de Culann.

Essa associação se mostraria a ruína de Cú Chulainn, pois, devido à sua promessa, lhe foi imposta a *geis*, ou a proibição de nunca consumir carne de cão. Violar uma *geis*, usualmente, envolvia desastre pessoal, e, na verdade, em direção ao fim da vida do herói, ele foi forçado a violá-la, a fim de evitar violar outro tabu, o de recusar hospitalidade. Nessa ocasião, serviram-lhe carne de cão em uma refeição para a qual havia sido convidado, e, assim, foi defrontado por um dilema do qual era impossível escapar. Ao ter comido a carne que lhe fora oferecida, seu destino estava determinado: não muito depois, foi morto em batalha.

A afinidade de Cú Chulainn com animais marcou-o como um herói sobrenatural. Assim como com cães, cavalos também eram uma associação-chave. Dois potros nasceram exatamente no mesmo momento que o herói e cresceram com ele, tornando-se os cavalos de sua biga. Eles foram nomeados Cinza de Macha e Negro de Saingliu. Seus destinos estavam inextricavelmente entrelaçados com o seu: antes de sua batalha final, fatal, Cinza chorou lágrimas de sangue.

O treinamento de Scáthach

O jovem Cú Chulainn foi instruído na arte da guerra por uma mulher chamada Scáthach, cujo nome significa "Aquela que Caminha na Sombra". Ela era não apenas uma assustadora treinadora de batalha, mas também uma vidente que podia usar seus poderes de adivinhação para prever eventos futuros. Seu ensino foi tão soberbo que transformou Cú Chulainn em uma máquina de luta que ninguém podia

Senhores de cães divinos na Grã-Bretanha romana

Uma deidade adorada em um santuário em Nettleton Shrub, em Wiltshire, era chamada Apollo Cunomaglus, "o Senhor dos Cães". Um deus caçador anônimo de Southwark, em Londres, é retratado de pé entre dois grandes cães em uma escultura de pedra. Essas são apenas duas das deidades locais associadas à caça na Grã-Bretanha romana. Os cães parecem ter sido centrais ao seu culto, e é possível que a afinidade entre cães e deidades apresentada nessa evidência, de algum modo, se nutra no mito de Cú Chulainn.

De acordo com muitas tradições caçadoras, o caçador era especial, alguém que necessitava estar separado dos outros e se manter puro e celibatário antes da caça. A relação entre caçador e caçado era também complexa. Era necessário mostrar respeito à presa caçada; de outro modo, os rebanhos de cervos não retornariam para ser novamente caçados. Assim, a caça encapsulava conexões intricadas e, aparentemente, contraditórias entre seus participantes. De algum modo, o cão caçador poderia ser percebido como um intermediário, assim como os grupos de espíritos de cães no mito galês permitiam a transferência entre os domínios material e o mundo espiritual. O próprio Cú Chulainn, como um herói meio divino meio humano, também desempenhava esse papel como um condutor entre camadas do cosmos.

TopFoto
Escultura romano-britânica de um deus caçador, de Southwark, Londres.

derrotar. Scáthach vivia "na terra de Alba" (tudo o que sabemos é que esse lugar ficava em algum local ao leste de Ulster, talvez na Escócia). Quando o jovem herói viajou para lá, os pupilos dela o dirigiram a uma ilha, na qual se chegava por uma ponte que ninguém poderia cruzar, a menos que já estivesse treinado na arte da guerra. Por três vezes, Cú Chulainn tentou caminhar sobre a ponte, e, por três vezes, a extremidade desta se ergueu e o jogou de costas. Finalmente, Cú Chulainn se enfureceu e correu tão rápido sobre a ponte que ela não pôde desequilibrá-lo.

Uathach, a bela filha de Scáthach, encontrou o herói de Ulster na entrada. Ela lhe informou que, se ele realmente quisesse aprender feitos heroicos, deveria pular em um grande teixo onde sua mãe descansava, colocar sua espada entre os seios dela e fazê-la prometer-lhe três coisas: treinamento completo, um dote de casamento e que lhe previsse o futuro. Ele fez isso, e Scáthach o adotou como seu pupilo.

O herói descontrolado

O primeiro espasmo deformador (warp-spasm) *acometeu Cú Chulainn, e o transformou em uma coisa monstruosa, repulsiva e sem forma, desconhecida. Suas canelas e juntas, cada articulação e ângulo e órgão da cabeça aos pés, sacudia como uma árvore na inundação ou um junco na corrente. Seu corpo fazia uma furiosa contorção dentro de sua pele, de modo que seus pés e suas canelas e joelhos viraram para trás e seus calcanhares e panturrilhas viraram para a frente.*
Do *Táin Bó Cuailnge*

Embora as histórias míticas irlandesas sejam temperadas com heróis, Cú Chulainn era o único que regularmente tinha "espasmo deformador", um tipo de hiperatividade maníaca na batalha que lhe permitia matar grandes números de soldados inimigos. Mas o espasmo deformador tornava o herói tão insano que não conseguia discriminar entre seu próprio lado e o de seus oponentes. Uma história encantadora associada a esse massacre insensato nos diz como, em uma ocasião, os

> **As armas mágicas de Cú Chulainn**
>
> Como cabia a um herói sobrenatural, o campeão de Ulster tinha armas e armadura especiais para ajudá-lo a superar seus inimigos. A mais assustadora era a Gae Bulga, uma lança cuja ponta sempre se mostrava fatal a qualquer um ferido por ela. O deus do mar Manannán lhe deu um visor para proteger sua face, e o condutor da biga de Cú Chulainn poderia jogar um manto invisível sobre a biga, seus ocupantes e seus cavalos.
>
>
>
> Werner Forman/Corbis
> Ponta de lança da Idade do Ferro decorada com ouro, do Thames, em Londres.

homens de Ulster ficaram tão assustados pela matança indiscriminada descontrolada de Cú Chulainn que enviaram um grupo de mulheres nuas até ele, na esperança de que seu embaraço ao vê-las pudesse acalmá-lo. Mas, quando isso falhou, ficou claro que algo mais drástico era necessário para tirar o herói de sua loucura de guerra. Os homens de Ulster decidiram esfriá-lo em um caldeirão, embora tenham sido necessários três recipientes de água gelada para isso: o primeiro caldeirão explodiu com o calor de seu corpo; no segundo, a água borbulhou e ferveu; somente a água do terceiro conseguiu esfriá-lo o bastante para tirá-lo de seu estado descontrolado.

O espasmo deformador tinha efeitos físicos terríveis: o corpo do herói ficava distorcido e se revolvia em sua pele; o cabelo se eriçava nas pontas, com um nimbo de luz cercando sua cabeça; os músculos inchavam como se fossem romper de seu corpo; um olho se sobressaía em sua face, enquanto o outro afundava no crânio; os lábios se enrolavam tanto para trás que sua garganta ficava claramente visível; o grande grito de guerra invocava os espíritos, que uivavam com ele, e enlouquecia seus inimigos de medo.

Tocado pelos deuses: Cú Chulainn e o sobrenatural

Uma biga lhe foi dada. Ele deu uma palmada na biga, entre os eixos, e a estrutura se quebrou ao seu toque. Do mesmo modo, quebrou doze bigas. No fim, deram-lhe a biga do rei menino Conchobar, e essa lhe sobreviveu.

Do *Táin Bó Cuailnge*

O *status* sobrenatural de Cú Chulainn foi sinalizado por outros mecanismos de contação de histórias, particularmente profecias de seus feitos heroicos, e as relações íntimas que tinha com figuras divinas. Durante a infância do herói de Ulster, quando pediu a permissão para portar armas, o druida Cathbad previu que quem quer que pegasse em armas naquele dia teria uma vida breve, porém gloriosa. Quando a guerra entre Connacht e Ulster estava se armando, a profetisa Fedelma previu corretamente à Rainha Medbh que seu reinado seria derrotado por um homem loiro, com o brilho luminoso do herói em volta da cabeça, os lábios recuados em um rosnado, com olhos de muitas pupilas, e que Connacht se dissolveria em um mar de sangue.

Ao longo da vida, Cú Chulainn foi afligido e ajudado por deuses e deusas. Quando estava sofrendo de uma doença debilitante, foi curado por seu pai, Lugh, mas a maior influência divina sobre o herói foi das fúrias de batalha, Morrígan e Badbh, que, por vezes, apareciam triplicadas, podiam mudar de forma quando quisessem e eram vistas no campo de batalha, na forma de corvos, examinando os mortos. O encontro mais surpreendente entre Cú Chulainn e essas deusas assustadoras foi durante o conflito sobre os dois grandes touros de Ulster e de Connacht.

O herói foi abordado por uma jovem nobre, que disse que o amava, que o admirava por seus grandes feitos e que lhe trazia tesouro e gado de presente. A resposta rude de Cú Chulainn foi que não poderia ser importunado com sexo no momento; ele tinha coisas muito mais importantes na cabeça. Sua rudeza revelou a verdadeira identidade da garota como Morrígan: ela ameaçou atacá-lo no vau de um rio, primeiro como uma enguia; depois, como uma loba cinza; e, finalmente, como uma novilha vermelha sem chifres. Suas próprias contra-ameaças levaram-na a deixá-lo, por enquanto.

A morte do herói foi prevista pela aparição da "Lavadora no Vau", um disfarce de Morrígan, que lavava a armadura daqueles prestes a morrer. Quando ele montou em sua biga, todas as armas caíram em seus pés, como se, conscientemente, o abandonassem (ou, talvez, lamentassem por ele). Cú Chulainn sofreu ferimentos mortais no campo de batalha, morto como somente um herói poderia sê-lo, com uma arma feita por um deus, uma espada forjada pelo deus ferreiro Vulcano. Sabendo que estava prestes a morrer, amarrou-se a

Irish Tourist Board
Escultura de bronze de tamanho natural de Cú Chulainn morrendo, amarrado a uma árvore para impedir que caísse, e Badbh como corvo de batalha em seu ombro.
De Oliver Shepherd, 1916, para o Post Office central, Dublin.

uma estaca, de modo que morreria de pé, encarando o inimigo: a luz do herói enfraqueceu em torno de sua cabeça, e, à medida que a vida se esvaía dele, Morrígan, também conhecida como Badbh, pousou em seu ombro na forma de um corvo, para indicar a seus inimigos que ele havia morrido e era seguro se aproximar.

● PRYDERI E A TRADIÇÃO HEROICA GALESA ●

O menino foi criado na corte até que tivesse um ano. E antes que tivesse um ano estava caminhando fortemente, e era mais robusto que um menino de três anos bem desenvolvido e bem--criado. O menino foi criado por um segundo ano, e ficou tão robusto quanto um menino de seis anos. E, antes do fim do quarto ano, estava negociando com os cocheiros para que o permitissem lavar os cavalos.

De "O primeiro ramo dos Mabinogi"

Para ser um herói celta é necessário ter uma infância especial, como a de Cú Chulainn. Isso foi certamente verdadeiro com relação a Pryderi, o filho de Pwyll, senhor de Llys Arberth, e sua esposa Rhiannon, ela própria uma criatura sobrenatural, uma deusa equina. Já sabemos (cf. p. 81-83) que, quando seu filho nasceu e depois desapareceu, ela foi severamente punida. Mas o que ocorreu com o bebê roubado do lado de Rhiannon enquanto dormia?

O local da história muda de Llys Arberth para Gwent-Iscoed, a corte de seu senhor Teyrnon Twryf Liant. Sua família havia sido atacada por anos por um estranho evento que ocorreu na véspera de maio: naquela época, sua égua estimada sempre dava à luz um soberbo potro, que desaparecia tão logo nascia. Na mesma noite em que o bebê de Rhiannon e Pwyll desapareceu, Teyrnon decidiu ficar acordado e de guarda durante toda a noite em seu estábulo, para tentar desvendar o mistério.

Tão logo sua égua deu à luz seu potro, uma enorme garra apareceu na janela e abduziu o potro, puxando-o através da abertura.

Xamãs ocultos

As histórias em que Cú Chulainn assume a cena central fornecem indicações sutis quanto às possíveis origens no profundo passado medieval. Elas são perpassadas por imagens que indicam uma tradição subjacente de xamanismo. O campeão de Ulster experienciava um estado extracorporal quando descontrolado, no "espasmo deformador". Seus laços estreitos com cães e cavalos sugerem que esses animais eram auxiliares espirituais que pertenciam a um xamã e auxiliavam na ligação entre forças terrenas e espirituais.

Morrígan era uma metamorfa, um sinal clássico do xamã. O episódio no *Táin Bó Cuailnge* em que Morrígan exerce seu poder para se metamorfosear em um vau também está impregnado de xamanismo. Em muitas tradições xamânicas, a água rasa está associada a rituais xamânicos, porque é onde a membrana entre os mundos terreno e espiritual é considerada mais fina.

Musée Historique et Archéologique, Orléans
Cavalo de bronze de Neuvy-en-Sullias, França.

Paul Jenkins
Moeda de ouro da Idade do Ferro cunhada pelos redones da Bretanha, retratando uma cavaleira nua bradando uma lança e um escudo.

Teyrnon imediatamente a golpeou, decepou a mão com garra e recuperou o potro. Enquanto fazia isso, ouviu um grito de outro mundo e o som de uma comoção ao lado de fora. Ele correu para ver o que estava acontecendo, mas nada viu na escuridão. Ao retornar ao estábulo, havia um belo bebê deitado sob o pórtico, envolto em um xale de seda bordada, uma indicação de seu nascimento nobre.

Terynon e a esposa decidiram manter a criança e criá-la como sua, nomeando-a Gwri Cabelo Dourado, devido ao seu cabelo loiro brilhante. Em seguida, eles começaram a observar que o menino excedia em muito os outros de sua idade, e, aos oito anos, era maior do que uma criança três vezes a sua idade. Agora, os narradores do mito começavam astutamente a fechar o círculo do simbolismo que envolvia a história. A audiência, provavelmente, já adivinhava que essa criança não era senão o filho desaparecido de Rhiannon e Pwyll, mas, antes que a verdadeira identidade da criança fosse revelada, os contadores de histórias montavam a cena para o fim.

Quando Gwri tinha quatro anos, a esposa de Terynon sugeriu que seu potro deveria ser treinado e dado à criança. Isso forneceu uma antecipação clara entre a afiliação equina de Rhiannon e a de seu filho. O círculo mítico finalmente se fechou quando notícias sobre o filho desaparecido de Pwyll chegaram em Gwent-Iscoed; Teyrnon se apercebeu do quanto seu filho de criação se assemelhava a Pwyll e o devolveu a Llys Arberth, em meio à grande felicidade na corte de seus pais. Rhiannon foi livrada de sua penitência e renomeou o menino como Pryderi, uma palavra para "cuidado" ou "preocupação".

Como na história de Cú Chulainn, as características essenciais de um herói sobrenatural eram entrelaçadas na narrativa de Pryderi. De algum modo, Rhiannon escapou da execução, a despeito do duplo crime — infanticídio e canibalismo — do qual foi acusada. O bebê desapareceu de um modo inexplicável e foi encontrado longe, sob um pórtico, um local importante, que, tradicionalmente, simbolizava o ponto intermediário em que os domínios terreno e espiritual poderiam se encontrar. Acrescida à mistura estava a afinidade de Pryderi com cavalos — em particular, com um potro macho nascido no mesmo momento que ele e pelo qual foi trocado por algum encantamento. O símbolo supremo do *status* de Pryderi como herói era, é claro, sua precocidade e, como seu equivalente de Ulster, ter crescido e se tornado o mais belo e bem-sucedido dos homens.

Miranda Aldhouse-Green
A deusa Epona em sua pose usual, montada e segurando um fruto. A cavaleira divina pode ter inspirado o mito de Rhiannon.

• 6 •

ANIMAIS ENCANTADORES E ENTES INQUIETOS

"Águia de Gwernabwy, viemos até você – mensageiros de Artur – para perguntar se tem notícia de Mabon, filho de Modron, que foi tirado de sua mãe com três noites de vida."
A águia disse: "Cheguei aqui há muito tempo, e, quando cheguei aqui pela primeira vez, havia uma pedra, e, de cima dela, bicava as estrelas a cada noite".
DE "CULHWCH E OLWEN"

A pedra de fundação das mitologias celtas era a percepção de que espíritos espreitavam em cada canto da paisagem. A relação entre as pessoas e seu mundo espiritual percebido podia ser problemática, cheia de riscos e instabilidade. As fronteiras entre esses domínios podiam mudar e se tornar permeáveis, permitindo intrusão mútua. O princípio subjacente segundo o qual o mundo material habitado por pessoas era inerentemente instável, como zonas de terremoto sobre placas tectônicas, parece ter sido fundamental à presença persistente de entes metamorfos e animais mágicos. A habilidade de divindades para interferir nas vidas humanas era muito importante nos mitos celtas.

Embora sua presença nunca fosse explicada nas histórias, havia indicações para o *status* xamânico de muitos indivíduos que tinham a habilidade de se mover entre mundos, e o meio para fazer isso era, muitas vezes, a capacidade de assumir a forma de animais. O esquema "normal" das coisas podia ser revogado: animais e humanos poderiam intercambiar formas físicas; deuses poderiam aparecer a pessoas na forma de humanos, bestas ou monstros; e as deusas poderiam transitar entre as formas de jovens donzelas, matronas maduras e anciãs.

Transgressores podiam ser transformados em animais como punição, mas, inversamente, bestas eram, por vezes, dotadas de habilidades humanas, como a fala, e algumas possuíam poderes proféticos. Alguns animais – particularmente, certos cães, cavalos e gado – eram claramente enviados do Além-Mundo. As indicações de suas origens repousam na aparência: eram surpreendentemente brancos, vermelhos ou brancos com orelhas vermelhas. Os contadores de histórias medievais usavam dispositivos como a cor dos animais para comunicar noções de magia e encantamento à audiência, e, por sua vez, aqueles que ouviam as histórias eram familiarizados com essas mensagens codificadas e seu significado.

● A MALDIÇÃO DE MATH ●

Então ele pegou sua vara mágica e golpeou Gilfaethwy, de
modo que se transformasse em uma corça de bom tamanho,
e capturou Gwydion rapidamente – ele não podia escapar,
embora quisesse – e golpeou-o com a mesma vara mágica, de
modo que se transformasse em um cervo.
"Como vocês estão em uma aliança um com o outro, farei com
que vivam juntos e acasalem um com o outro."
De "O quarto ramo dos Mabinogi"

Nos mitos irlandeses, a mudança de forma, entre a humana e a animal, era, muitas vezes, uma transição voluntária. Por exemplo, as deusas da batalha – Morrígan e Badbh – se transformavam em corvos, e vice-versa, quando queriam. Na tradição mítica galesa, contudo, a mudança de forma era, frequentemente, infligida como uma punição por má conduta. E assim foi para os sobrinhos do Rei Math de Gwynedd. Quando Gwydion e Gilfaethwy conspiraram para roubar a virgindade de Goewin (cf. p. 84-86), a portadora dos pés de Math, eles atingiram as raízes do poder de Math. Assim, não surpreende que ele tenha infligido uma vingança rápida e horrífica aos irmãos, negando-lhes sua humanidade e até mesmo seu gênero.

Ele os transformou em três diferentes pares de animais selvagens por três anos seguidos. No primeiro ano, Gilfaethwy se tornou uma corça, e seu irmão, um cervo; no fim do ano, eles apareceram na corte de Math com seu filhote. No próximo ano, seus gêneros foram trocados: Gwydion se tornou uma leitoa selvagem, e Gilfaethwy, um javali selvagem, e, no fim do ano, o casal se apresentou na corte com seu porquinho. No ano seguinte, os irmãos errantes se transforma-ram em lobos e produziram um filhote.

No fim do terceiro ano, Math suspendeu o encantamento, mas sua prole, embora de forma humana, manteve a habilidade para mudar à forma animal. As crianças foram batizadas e nomeadas em homenagem a essas formas: Hyddwn (cervo), Hychdwn (porco) e Bleiddwn (lobo). Um sinal de natureza mágica era sua precocidade. Como os heróis Cú Chulainn e Pryderi, eles eram muito maduros para sua idade mortal, um sinal de que foram tocados pela mão divina de Math, o mago.

● O SALMÃO DA SABEDORIA ●

Por três vezes Cú Chulainn tentou cruzar a ponte, mas seus melhores esforços falharam, e os homens zombaram dele. Então teve seu espasmo deformador. Ele subiu na cabeceira da ponte e saltou no meio, como o herói salmão.
Do *Táin Bó Cuailnge*

Conexões entre as tradições míticas galesa e irlandesa em nenhum lugar são mais explícitas do que na história comum do salmão mágico, que possuía os dons de conhecimento, sabedoria e profecia, muito superior a qualquer capacidade humana. O motivo pelo qual essa criatura se entrelaçaria à rica tapeçaria de lendas sobre pessoas, bestas e ligações com os espíritos não é imediatamente evidente. Mas é provável que a observação da complexa história de vida do salmão, suas viagens por grandes distâncias, envolvendo considerável esforço físico, tanto em água doce quanto em salgada, seu instinto infalível para retornar às águas de origem para procriar e sua aparente capacidade para voar acima de quedas d'água tenham levado às qualidades sobrenaturais e superintelectuais imaginadas do salmão.

O mito do salmão sábio está contido no *Ciclo feniano*, cujo herói epônimo era Finn. A história está impregnada de xamanismo, pois o jovem Finn adquiriu seus dons por meio da ação do bardo Finnegas (observem a raiz compartilhada do nome), que vivia nas margens do Rio Boyne, um espaço aquoso encantado, a personificação da deusa Boann, e uma passagem para o mundo espiritual. No momento do encontro entre Finn e Finnegas, o segundo estava pescando o renomado Salmão da Sabedoria em uma lagoa, uma atividade à qual se dedicava em vão por sete anos. O salmão havia recebido os dons pelo seu consumo de avelãs produzidas por nove aveleiras que cresciam no leito marinho.

Quando Finn se aproximou dele, Finnegas pegou o peixe e passou ao menino com instruções para cozê-lo sobre o fogo. Enquanto fazia isso, o jovem herói, acidentalmente, tocou a carne quente do peixe com seu polegar e, por instinto, o colocou na boca para mitigar a dor. No mesmo instante, foi dotado de toda a sabedoria e o conhecimento que o salmão possuía, tornando-se um grande vidente. Na verdade, o ato de Finn deu origem à ideia irlandesa do "polegar do vidente" e à crença de que o polegar poderia conter uma potência espiritual particular. Essa história ressoa com a história galesa do "Caldeirão de Ceridwen" (cf. p. 28), na qual o jovem Gwion, cuidando de um caldeirão, acidentalmente, adquiriu conhecimento quando respingaram em sua mão seus conteúdos, que eram destinados a Afagddu, o filho pouco afortunado de Ceridwen.

Uma versão galesa do Salmão da Sabedoria está contida na história de "Culhwch e Olwen". Em busca do caçador divino Mabon, filho de Modron (seus nomes significam "Filho Jovem" e "Mãe"), a fim de garantir sua ajuda para encontrar Olwen, Culhwch consultou uma série de bestas encantadas que tinham a capacidade de se comunicar com humanos e, em particular, com um dos homens de Artur, Gwrhyr, o "Intérprete de Línguas". Um desses animais falantes era o Salmão de Llyn, uma das criaturas mais antigas (e, portanto, sábias) da Terra.

Gwrhyr soube da existência do salmão por meio de outra besta falante, a Águia de Gwernabwy, que havia tentado pescar o peixe, mas, em troca, foi arrastada para a água. O pássaro e o peixe fizeram as pazes, e a águia pensou que o salmão seria capaz de ajudar Gwrhyr e seu camarada cavaleiro Cei a encontrar Mabon. A ave convocou o salmão e concordou em ajudar, acomodando os dois homens em seus vastos ombros e levando-os a encontrar Mabon na prisão onde perecia. Ele terminou sendo libertado pelos guerreiros de Artur e se juntou à busca de Culhwch por Olwen.

O polegar do vidente

Musée de la Préhistoire Finistérienne, Bretanha
Imagem de granito da Idade do Ferro com polegares enormes e erguidos, de Lanneunoc, Bretanha.

O polegar queimado do jovem Finn lhe deu, inadvertidamente, todo o conhecimento do Salmão da Sabedoria. O assim chamado "polegar do vidente" pode, de fato, pertencer a um extrato da tradição celta que antecede as coleções de histórias do começo da Idade Média, pois, na Gália do fim da Idade do Ferro, imagens divinas eram, por vezes, retratadas com polegares extragrandes levantados. Algumas das deusas selvagens entalhadas em moedas bretãs retratam mulheres aurigas (talvez, as precursoras de Medbh – cf. p. 140-141) contendo as rédeas com polegares gigantes eretos. Uma estátua de granito de Lanneunoc, também na Bretanha, retrata um dorso sem cabeça, praticamente sem detalhes, exceto por um par de mãos muito grandes com polegares proeminentes erguidos. Uma das múmias de pântano de Lindow Moss, em Cheshire, do fim da Idade do Ferro, tinha polegares extras. É possível que fosse considerada vidente?

Provedores do British Museum, Londres
Estatueta de bronze de um deus da guerra romano-britânico pegando uma serpente com cabeça de bode em cada mão.

• CORPOS MISTURADOS: •
A ARQUEOLOGIA DA MUDANÇA DE FORMA

Virei na forma de uma loba cinza, para lançar as bestas no vau contra você.
Virei diante de você na forma de uma novilha vermelha sem chifres e levarei o rebanho de gado para pisoteá-lo nas águas de vaus e lagoas, e não saberá que sou eu.
UM ENCONTRO ENTRE CÚ CHULAINN E MORRÍGAN, NO *TÁIN BÓ CUAILNGE*

A permeabilidade e a imprecisão dos limites entre humanos e animais tão explícitos na mitologia encontra paralelos no registro iconográfico da Idade do Ferro europeia ocidental e no período provincial romano. As imagens estão repletas de ambiguidades de forma: touros ou javalis podiam ser retratados com três chifres, cavalos com

Nationalmuseet, Dinamarca
Uma das placas internas do caldeirão de prata da Idade do Ferro de Gundestrup, Dinamarca, retratando um deus com chifres segurando uma cobra com cabeça de bode.

faces humanas e serpentes com chifres de bode. Criaturas meio-humanas são comuns no repertório iconográfico. Os híbridos mais persistentes são imagens de homem/cervo, retratadas de forma mais surpreendente no caldeirão de Gundestrup, no qual um homem com chifres senta-se cercado por animais, incluindo um cervo com chifres idênticos que se encontra ao seu lado, como se estivesse no momento de se transformar de um estado ao outro.

Distorção de gênero também está envolvida nas figuras com chifres, pois algumas estatuetas de bronze gaulesas retratam mulheres com múltiplos chifres brotando de suas cabeças. Não temos um nome para esse humano com chifres, mas temos uma indicação, de uma imagem em uma coluna de pedra esculpida de Paris, erigida em homenagem a Júpiter em 26 d.C. Entre a pletora da iconografia clássica e gaulesa nativa sobre esse monumento aparece uma cabeça barbuda e com chifres, um colar pendendo de cada chifre. Acima, há uma inscrição deteriorada "Cernunno" ("ao chifrudo").

A mistura de corpos está também registrada em restos humanos da Idade do Ferro. Alguns depósitos funerários contêm uma mistura de partes corporais humanas e animais como se para exibir percepções da porosidade dos limites entre eles. Ambos os regis-

Pessoas-gato

*Assim, foi Cairbre o Cruel
que tomou sul e norte da Irlanda:
duas orelhas de gato em sua bela cabeça
o pelo de um gato em suas orelhas.*

DE UM POEMA IRLANDÊS MEDIEVAL DE EOCHAID UA FLOINN

Esse poema está preservado em um texto do século XII. Seu personagem central era um chefe militar chamado Cairbre o Cruel. As características animais desse belo homem são, provavelmente, uma referência à natureza bestial e impiedosa de um conquistador cruel, mas a alusão específica a gatos pode se referir, também, a sua astúcia e discrição. Contudo, o poeta podia, ainda, estar se conectando a uma tradição xamânica antiga, na qual homens e mulheres sagrados vestem costumes animais durante cerimônias, a fim de obter afinidade com os espíritos. Imagens de homens com orelhas de gatos são encontradas na Grã--Bretanha romana: telhas de barro de Caerleon, no sul do País de Gales, retratam cabeças humanas com orelhas de gato; e uma cabeça barbuda de pedra com orelhas pontudas foi registrada em Doncaster, em Yorkshire.

National Museum of Wales, Cardiff
Antefixo (telha) de barro retratando uma cabeça humana com orelhas de gato, da fortaleza legionária romana em Caerleon, sul do País de Gales.

Musée National du Moyen Âge, Paris
Escultura em pedra de uma cabeça humana com chifres, com colares pendendo delas. De um monumento em Paris dedicado a Júpiter em 26 d.C., por uma associação de barqueiros do Sena.

tros osteológicos e iconográficos parecem apresentar uma forma de pensar sobre o mundo na qual limiares eram cruzados e fronteiras, transgredidas, a fim de – talvez – demonstrar as percepções de fluidez e a habilidade de humanos e animais intercambiarem formas em ambas as direções. É inteiramente possível que a presença da mudança de forma na mitologia celta reflita uma tradição muito anterior, possivelmente xamânica, que reconhecia a importância dos animais como canais entre mundos e a necessidade de os humanos assumirem corpos animais para comunicação espiritual.

• VOZES DE CORVOS: AS ANCIÃS DE BATALHA IRLANDESAS •

Uma forte tradição mítica no *Ciclo do Ulster* é a associação de deusas com a guerra. Elas próprias não participavam do combate, mas interfeririam, provocando tensão entre as forças opostas, encorajando o derramamento de sangue e, mais sinistramente, podiam ser vistas examinando os cadáveres do massacre no campo de batalha. Essas deidades sombrias se ocupavam, sobretudo, da morte, mas também eram promíscuas, sexualmente insaciáveis e determinadas a seduzir jovens heróis como Cú Chulainn, como vimos (cf. p. 110-112).

As duas principais fúrias de batalha eram Badbh e Morrígan, e, até certo ponto, suas identidades se fundiam. Cada uma tinha a capacidade de metamorfose multifacetada: de jovem donzela a anciã, de uma a três e de mulher a gralha negra ou corvo. Profetisas da morte violenta e prematura, também podiam ofuscar as fronteiras visuais de gênero: aparecendo como uma velha bruxa barbuda. A associação entre gralhas negras/corvos e os mortos é óbvia: os pássaros são de um preto brilhante e se alimentam de carniça, seja animal ou humana. Esses pássaros devem ter sido visitantes frequentes e principais de cenas de matança em massa, e seus corpos arqueados, arrancando pedaços de carne de guerreiros mortos, davam-lhes a aparência de antigas anciãs. A "voz" da gralha negra semelhante à humana, com sua habilidade para imitá-la, ofuscava ainda mais a fronteira entre pássaro e mulher.

Um curioso fenômeno arqueológico do fim da Idade do Ferro no sul da Grã-Bretanha é a deposição ritual recorrente de ossos de gralhas negras. Há muito se reconheceu que pessoas que ocupavam fortificações em Wessex cavavam silos profundos para estocar sementes de grãos durante o inverno, e que, após o uso secular, os silos eram metodicamente limpos e preenchidos com restos humanos e animais. Isso não era lixo, mas oferendas cuidadosamente estruturadas de corpos inteiros ou parciais de pessoas e animais. Os últimos pertenciam quase exclusivamente a espécies domésticas, com exceção da presença persistente de gralhas negras, em número muito maior do que refletido na população viva.

Uma divergência desse tipo da tradição usual de depositar cavalos, cães e ovelhas requer explicação. Talvez, como nas mitologias posteriores, esses pássaros fossem símbolos de morte e de guerra. Mas foi sugerido que os restos de gralhas negras estivessem presentes porque suas penas eram usadas para enfeitar adornos de cabeça de sacerdotes ou xamãs em ocasiões cerimoniais. Vestir-se com costu-

Homens-pássaro xamânicos da Irlanda

Os pássaros deixaram seus capuzes de penas, depois, e atacaram Conaire com lanças e espadas; contudo, um pássaro o protegeu, dizendo: "Eu sou Nemglan, rei do bando de pássaros do seu pai".

DE "HOSPEDARIA DE DA DERGA"

Duas histórias míticas contêm imagens poderosas de videntes que mudam de forma e que se revestem da "forma" de pássaros para que suas almas voem entre as camadas do cosmos e operem como entes de dois espíritos. "O cerco de Druim Damghaire" faz a crônica da disputa entre o rei Cormac de Ulster e Mog Ruith, um profeta cego, que parecia possuir poderes mágicos superiores aos dos outros. A fim de se conectar com o mundo espiritual e depois vencer a disputa, Mog Ruith vestiu um manto de pele de touro e um adorno de cabeça feito de penas de pássaros com manchas. A cor matizada é importante, pois o colorido dual evocava o *status* liminar de Mog Ruith como pertencendo tanto ao mundo material quanto ao mundo espiritual.

Devido à sua forma de pássaro, o vidente era capaz de voar e de recrutar o apoio espiritual contra a magia de Cormac. A cegueira física do profeta é também chave para compreender seu *status* como vidente, pois muitos profetas na Antiguidade eram afligidos desse modo, resultando

mes animais, incluindo chifres e penas, pode ter desempenhado um papel importante em rituais de "mudança de forma". Poderiam estar aí as raízes das lendas celtas posteriores de mulheres-gralhas negras como Badbh?

A iconografia da Idade do Ferro e da Europa romana, frequentemente, retrata "pessoas-pássaro": humanos vestidos como pássaros ou – talvez – materializações de espíritos na forma semiaviária. Eles também são temas persistentes na arte rupestre no fim da Idade do Bronze da Suécia e nos petróglifos da Idade do Ferro no Vale Camonica, no norte da Itália. Um painel sueco de Kallsängen, em Bohuslän, está esculpido com imagens de corpos humanos que têm

Ilustração © Anne Leaver

Pedra esculpida de um homem-pássaro da Idade do Ferro, do Vale Camonica, Itália. A prática xamânica de usar asas com penas remonta a 5 mil anos.

no aguçamento de seus poderes visionários internos: Tirésias, da mitologia grega; e o israelita Ahijah, do Antigo Testamento, eram cegos. Em certas comunidades xamânicas modernas – entre os sora da Índia, por exemplo –, videntes xamânicos cobrem suas faces quando entram em estado de transe, obtendo a visão do pensamento e a habilidade de se vincular a espíritos.

Um homem-pássaro chamado Nemglan era estreitamente associado ao governante irlandês mítico Conaire Mór, cuja vida é descrita na história "Hospedaria de Da Derga". A história inteira está repleta de alusões a encantamento, magia e fronteiras porosas entre os mundos de pessoas e deuses. Como o herói de Ulster Cú Chulainn, Conaire Mór era restringido a uma *geis* ou proibição: não tinha permissão para caçar ou matar qualquer pássaro. Essa injunção foi imposta por seu pai no momento de sua concepção. Quando estava para assumir o reinado, Conaire foi instruído por Nemglan, que impôs uma série de *gessa* ao novo rei e reforçou a proibição de causar sofrimento a pássaros. Em uma ocasião, Conaire desobedeceu à sua *geis* dos pássaros, e o bando que ele tentou matar soltou todas as penas e o atacou. O chefe do bando de pássaros era Nemglan, um metamorfo, que tentou proteger Conaire do resto do bando. Como Mog Ruith, Nemglan era um xamã, um ente de dois espíritos, capaz de cruzar o limiar entre pessoas, animais e o mundo espiritual.

Relevo em pedra de um guarda florestal divino, com um cão, um bastão, um saco de frutas aberto e uma gralha negra em cada ombro, de Moux, Borgonha.

asas e cabeças com bico; um deles se desvia ainda mais ao retratar uma figura de duas cabeças (de tipo Janus) que olha para os dois lados.

Embora o material escandinavo pareça retratar criaturas semi-humanas "genuínas", as pessoas-pássaro de Camonica são imagens menos ambíguas e descrevem claramente homens ou mulheres vestidos em fantasias de pássaro. Na Gália romana, homens-pássaro não são apresentados como misturados a formas humanas e de pássaros, mas como guardiões-pássaro. Uma escultura de Moux, na Borgonha, é a de um protetor da floresta: ele carrega maças de carvalho, um bastão e uma podão, e é acompanhado por um cão e dois pássaros semelhantes a gralhas negras com bicos grandes, que pousam em seu ombro e se viram para olhar intimamente para sua face, talvez sussurrando em seus ouvidos.

● TRABALHOS DO AMOR: CULHWCH E OLWEN ●

*Então, o pai de Culhwch lhe disse: "Filho, por que está
enrubescendo? Qual o problema?"*
*"Minha madrasta vaticinou que nunca terei uma esposa até
conquistar Olwen, a filha de Ysbaddaden Bencawr."*
*"É fácil para você conseguir isso, filho", disse-lhe seu pai. "Artur
é seu primo. Vá até ele para ter seu cabelo aparado, e peça-lhe
isso como seu presente."*

DE "CULHWCH E OLWEN"

Outro animal comum nas histórias galesas é o porco. Vimos sua
importância como alimento em banquetes, e a elevada estima em que
foi considerado o mais bravo e temível dos animais. A história mais
impregnada de simbolismo suíno é "Culhwch e Olwen". O nome do
herói epônimo significa "cercado de porcos". Culhwch era de origem
nobre, sendo primo de Artur. A associação com porcos é introduzida
no começo da história, e a conexão do herói com porcos começou
antes mesmo de ter nascido. Quando grávida, Goleuddydd, a mãe
de Culhwch, desenvolveu uma forte antipatia por essas criaturas.
Um dia, quando encontrou acidentalmente uma vara de suínos, seu
medo a levou a um parto prematuro, e, tão logo o bebê nasceu, ela o
abandonou. Ele foi descoberto pelo porqueiro e recebeu o nome de
"cercado de porcos", uma referência ao lugar onde foi encontrado.

A ligação de Culhwch com porcos permaneceu. Ele cresceu e se
apaixonou por Olwen, filha de um gigante chamado Ysbaddaden. O
pai de Olwen fez todo tipo de objeções ao casamento e impôs ao seu
pretendente uma série de tarefas hercúleas ou trabalhos que eram
praticamente impossíveis de realizar. O próprio fato de que Culhwch
conseguiu realizar as tarefas dá indicações quanto ao seu *status*
heroico sobre-humano. O núcleo do mito de Culhwch e Olwen era
a tarefa mais insuperável de todas: Ysbaddaden exigiu a tesoura, a
navalha e o pente que ficavam entre as orelhas de Twrch Trwyth, um
enorme javali sobrenatural, que outrora fora um rei humano.

Devido à sua associação com porcos desde o nascimento, é apropriado que Culhwch devesse ser colocado contra um inimigo como Twrch – como se estivessem unidos em oposição: bom contra mau, abençoado contra amaldiçoado. A própria descrição de Twrch, imediatamente, deixa os ouvintes saberem que ele vinha do Além-Mundo, não apenas devido ao seu enorme tamanho, mas por causa dos seus espinhos, que cintilavam como asas de prata brilhantes. Culhwch recrutou a ajuda do Rei Artur nessa missão aparentemente impossível, pois Twrch era um oponente formidável, mas o bem finalmente prevaleceu sobre o mal; o equipamento de asseio foi retirado de entre as orelhas da besta, e o javali mágico foi levado ao mar. Culhwch usou a navalha, a tesoura e o pente na barba de Ysbaddaden, e Olwen foi conquistada. Culhwch e Olwen se casaram e viveram felizes e monogamicamente até a morte.

● UM ENCANTAMENTO DE TOUROS ●

Este era o Touro Marrom de Cuailnge –
terrível, marrom-escuro, arrogante, com saúde jovem,
horrendo, monumental, feroz,
cheio de artimanhas,
furioso, explosivo, de flancos estreitos,
bravo, brutal, atarracado,
cabeça erguida, de testa cacheada,
rosnando e olhos brilhando,
robusto, pescoço com crina, grosso e forte…
Do Táin Bó Cuailnge

O gado foi central para a prosperidade irlandesa do início da Idade Média: eram unidades de riqueza; e o *status* de um governante era mensurado pelos números e pelo esplendor de seus rebanhos. A importância do gado na sociedade irlandesa é mostrada com grande efeito no *Táin Bó Cuailnge*, cujo foco central são dois touros enormes e encantados. No início da história, é revelado que esses touros não eram bestas ordinárias. O Marrom, ou Donn, era tão grande que quinze meninos podiam dançar sobre suas costas. O Finnbennach (Touro de Chifres Brancos), de Connacht, tinha um corpo vermelho, cabeça e pés brancos; essas cores são indicativas de sua emanação do Além-Mundo. Ambos os touros haviam começado suas vidas como porqueiros humanos, mas haviam sido transformados em animais que retinham sua capacidade humana de raciocínio e linguagem. A luta deles até a morte, com cada um representando suas províncias nativas de Ulster e Connacht, resume o papel de ambos como personificações de suas terras, sua fertilidade e sua prosperidade.

A iconografia galo-britânica do fim da Idade do Ferro pré-romana e do período romano *pode* conter vislumbres de tradições das quais se origina a ideia de gado encantado. O caldeirão de Gundestrup é permeado de imagens de sacrifício de touros. Esses animais eram claramente criaturas sobrenaturais, pois são retratados no caldeirão como sendo muito maiores do que o tamanho natural, em contraste com seus matadores humanos diminutos.

O *Tarbhfess*

O simbolismo do touro no caldeirão de Gundestrup traz à mente um curioso ritual irlandês mítico, o *Tarbhfess*, ou "sono de touro". A lenda era particularmente associada ao local régio de Tara, e conectada à escolha do legítimo rei da Irlanda. Um touro era sacrificado, esquartejado e cozido; um indivíduo especialmente escolhido, depois, consumia a carne e o caldo. Após a refeição, deitava para dormir, enquanto quatro druidas cantavam sobre ele até receberem uma visão na qual a identidade do próximo rei legítimo lhes fosse revelada.

Um antigo mito gaulês de touros

Em 26 d.C., uma associação de barqueiros que navegava o Rio Sena dedicou um grande pilar de pedra a Júpiter em Paris. O monumento foi entalhado com os nomes de várias deidades, cada uma acompanhada de sua imagem esculpida. Alguns dos deuses invocados eram romanos, mas outros pertenciam a um panteão local. Um dos painéis traz a inscrição: "Tarvos Trigaranus", o "Touro com Três Grous". A imagem a seguir é de um enorme touro, de pé em frente a um salgueiro. Duas garças ou grous pousam em suas costas; uma terceira, em sua cabeça. Garças e grous gostam de água, de modo que podem explicar a associação entre os pássaros e a árvore. Essas aves também desfrutam de uma relação simbiótica com o gado, na medida em que se alimentam de parasitas em suas peles.

Musée National du Moyen Âge, Paris
Escultura em pedra de Tarvos Trigaranus, o touro com três grous, de um monumento dedicado por uma associação de barqueiros parisienses em 26 d.C.

Mas certas características são sugestivas de uma narrativa mítica perdida, e isso é reforçado pela presença de uma imagem praticamente idêntica mais distante, ao leste de Trier, no Rio Moselle. Em ambos os monumentos, a cena do touro e das três garças está associada à imagem de um protetor da floresta podando um salgueiro. Na pedra de Paris, o protetor da floresta tem o nome de Esus. No poema épico "Farsália" (seu tema, a grande guerra civil entre Pompeu e Júlio César), o poeta romano Lucano menciona três deuses gálicos temíveis: Taranis, Teutates e Esus. É quase certo que Lucano estivesse falando do mesmo "Esus" que é registrado no monumento de Paris.

O protetor de lareira de Capel Garmon

Em algum momento durante o fim do século I e o começo do século II d.C. alguém fez uma jornada a um pântano remoto no distante noroeste do País de Gales, um lugar que, hoje, é conhecido como Capel Garmon (Capela de Garmon). Eles levaram consigo um acessório de lareira em ferro grande, pesado e altamente ornamentado, com cabeças de touro, que, provavelmente, era usado para assar carne no espeto ou, simplesmente, como um protetor para o fogo da lareira. Muitos desses "protetores de lareira" foram encontrados na Grã-Bretanha e na Gália, mas esse é especial, pois é muito decorativo e evocativo da habilidade consumada de forjaria e porque parece ter sido "sacrificado".

Uma peça cruzada horizontal conecta duas verticais, e cada uma delas termina na cabeça de uma besta com chifres. Mas as duas cabeças não são retratos de touros ordinários – em vez disso, são criaturas "barrocas", pois cada uma tem crinas elaboradas, como as dos cavalos adestrados, formadas de bolas de ferro conectadas. Um olhar mais apurado da peça da Capel Garmon revela que a cabeça de cada animal era única, indicativo da intenção de produzir imagens de duas bestas individuais, com diferentes faces. A descrição dos touros no *Táin Bó Cuailnge* corresponde à proteção de lareira de Capel Garmon, pois essas criaturas encantadas também tinham crinas e eram criaturas espirituais, conjuradas ao Além-Mundo.

Se o protetor de lareira de Capel Garmon alguma vez foi usado, não se sabe. Mas teve uma vida e uma morte, pois sua biografia chega ao fim quando, deliberadamente, foi colocado em um pântano, com uma grande pedra no topo da cabeça de cada touro, aos moldes dos antigos funerais de pântano. O protetor de lareira era um objeto altamente valorizado e especial. Um ferreiro galês que tentou replicar o objeto estima que, para produzi-lo, foram necessários três anos da vida de um artesão em metal. Como esses protetores de lareiras eram feitos para ser usados em pares, seu valor, em termos de recursos humanos, deve ter sido surpreendente. Pode ter "valido" tanto quanto um sacrifício humano, ou mais. A estranha natureza dos touros, com suas crinas de cavalo, só os torna evocações mais fantásticas de animais espirituais.

National Museum of Wales, Cardiff
Protetor de lareira do fim da Idade do Ferro, decorado com cabeças de touro com crinas, de Capel Garmon, norte do País de Gales.

● A CORUJA E A ÁGUIA: ●
UM MITO GALÊS DA NOITE E DO DIA

"O quarto ramo dos Mabinogi" está repleto de metamorfoses. A maldição-punição de Math quando transformou Gwydion e Gilfaethwy, descrita anteriormente neste capítulo, não é o único episódio no qual as fronteiras entre humanos e animais foram cruzadas. O cerne dessa mesma história diz respeito a um triângulo amoroso fatal entre uma bela jovem, Blodeuwedd; seu esposo, Lleu Llaw Gyffes; e um terceiro homem, Gronw.

Para contextualizar a história é necessária uma breve recapitulação dos antecedentes da situação difícil de Lleu. Após o estupro de Goewin, Arianrhod se apresentou como uma candidata a portar os pés de Math, mas falhou no teste de virgindade dando à luz gêmeos. É em torno da segunda criança nascida que a principal história se desenvolve. Em sua vergonha, Arianrhod repudiou esse segundo filho, Lleu, e lançou sobre ele três maldições, destinadas a impedi-lo de assumir seu lugar na sociedade.

Gwydion e seu tio Math juntaram seus recursos mágicos para encontrar um modo de quebrar a injunção de Arianrhod e conceber um modo de obter uma esposa para Lleu. Eles conseguiram isso conjurando de flores uma mulher chamada Blodeuwedd. Mas ela tomou um amante, Gronw, e juntos tramaram como assassinar seu esposo. A própria natureza mágica de Lleu era agora revelada, pois, junto às proibições negativas lançadas sobre ele por sua mãe, havia outro conjunto, dessa vez destinado a protegê-lo. Ele não poderia ser morto dentro ou fora de uma casa, nem na água nem na terra, nem nu nem vestido.

Além disso, Lleu só poderia ser ferido por uma lança feita durante a época em que a forjaria não era permitida. Todas essas condições envolvem limites e fronteiras, e eram sinais de que o próprio Lleu era profundamente envolvido com forças do Além-Mundo. Por ardil cruel, Blodeuwedd enganou o crédulo Lleu para que revelasse a fórmula secreta pela qual suas injunções de morte poderiam ser sobrepujadas, e ele confessou a ela:

"Ao preparar um banho para mim na margem de um rio, e fazendo uma moldura arqueada sobre a banheira, e cobrindo-a bem com palha e tornando-a aconchegante em seguida, e trazendo um bode", ele disse, "e colocando-o ao lado da banheira, e eu colocando um pé traseiro do bode e o outro na beira da banheira. Quem quer que me golpeasse assim, levar-me-ia à morte".
DE "O QUARTO RAMO DOS MABINOGI"

Enquanto isso, Gronw havia trabalhado secretamente para produzir a lança fatal, envenenando-a, e, quando o fez, Blodeuwedd persuadiu Lleu a adotar a posição que lhe havia descrito; Gronw saltou de um esconderijo e desferiu em seu rival o golpe fatal.

Mas, em vez de cair morto, Lleu deu um enorme grito e fugiu sob a forma de uma águia. Gwydion descobriu o que havia ocorrido e amaldiçoou Blodeuwedd, transformando-a em uma coruja condenada a caçar à noite e ser evitada por todos os outros pássaros por

Miranda Aldhouse-Green
Estatueta de uma águia em bronze, do templo romano-britânico em Woodeaton, Oxfordshire.

sua vergonha. Ele também encontrou Lleu, pousado em um carvalho, e lhe restaurou sua forma humana. O esposo injuriado matou Gronw e assumiu o domínio de Gwynedd.

O mais surpreendente sobre essa história é que ela apresenta um mito oculto de bem e mal. Como Blodeuwedd não era mortal, era fundamentalmente imperfeita, não confiável e, no fundo, muito perigosa para estar entre humanos. A mudança de forma de Lleu – bem como seu nome "O Brilhante" e o nome de sua mãe Arianrhod "Roda de Prata" – revela que ele era um deus celeste, e seu refúgio no carvalho reforça essa conexão. Na mitologia clássica, tanto a águia como o carvalho foram associados ao deus celestial romano Júpiter. Mas a história galesa é colorida com dogma moral cristão. Práticas mágicas, como conjurar mulheres de flores, deveriam ser condenadas. O certo terminaria prevalecendo, e a luz brilharia e conquistaria o lado negro.

Demônios: do mito ao tarô

A mitologia celta está permeada de retratos de mulheres más com aparência não natural, mas e quanto aos demônios? No ocultismo moderno, como apresentado em cartas de tarô, o demônio é retratado como uma criatura semi-humana sentada, com chifres, com cabeça de bode, com patas fendidas, com uma barba e seios femininos. Na Europa medieval, o demônio era retratado com chifres e, muitas vezes, se assemelhava à iconografia anterior dos "Cernunnos" com chifres. Não há indicação de um lado negro na apresentação celta do próprio Cernunno, mas a ambiguidade humano/besta contribuiu para as noções cristãs de bestialidade, caos pagão e contradições sobre a noção de que humanos foram criados à imagem de Deus.

• 7 •

LIGAÇÕES PERIGOSAS:
REGIMENTOS MONSTRUOSOS DE MULHERES

*Toda uma tropa de estrangeiros não seria capaz de resistir a um
único gaulês se ele pedisse ajuda à sua esposa, que é usualmente
muito forte e com olhos azuis; especialmente quando, inchando
seu pescoço, rangendo seus dentes e sacudindo seus braços
pálidos enormes, ela começa a dar socos misturados a chutes,
como se fossem vários projéteis lançados de uma catapulta.*
Amiano Marcelino, *Histórias*, XV.12.

Em sua poderosa tragédia *As bacantes* o dramaturgo ateniense
Eurípides representou seus sentimentos de turbulência e desespero
após experienciar mais de 20 anos de uma guerra civil sangrenta
entre Esparta e sua nativa cidade-Estado. A peça foi escrita em
407 a.C., após o escritor ter fugido de Atenas para a paz relativa da
Macedônia. O tema central do drama são os dois aspectos opostos
da natureza humana (mais especificamente, masculina), o civilizado
e o selvagem, e as tensões da *nomos* (ordem) e *physis* (natureza).

A relevância da tragédia de Eurípides para os mitos celtas
repousa no modo como as mulheres são apresentadas. *As bacantes*
situa as mulheres, os animais e o mundo natural indomado no lado
selvagem da divisão, em oposição fundamental ao mundo civilizado
ordenado dos homens, à ordem e ao ambiente construído (cidades).
As mulheres eram fracas e, assim, sujeitas aos excessos do selvagem, e,
quando sob a influência intoxicante do deus Dionísio, eram capazes
de caos sexual e de atos terríveis de violência, incluindo assassinato,
desmembramento e consumo de humanos.

O tratamento de muitas mulheres proeminentes no País de Gales
e – particularmente – nos textos míticos irlandeses parece mostrar personagens femininos sob uma luz similarmente desfavorável

LIGAÇÕES PERIGOSAS: REGIMENTOS MONSTRUOSOS DE MULHERES

(e decididamente não feminista). Esses retratos são, ao menos parcialmente, devidos aos seus cronistas, clérigos cristãos para quem mulheres respeitáveis não tinham presença pública e cuja virgindade deveria ser zelosamente guardada. E, assim, o *Ciclo do Ulster* trata a Rainha Medbh de Connacht como uma mulher de apetites sexuais e militares incontroláveis, frequentemente ridicularizada por seus narradores. Mesmo sua morte foi ignominiosa: foi assassinada por um estilingue com uma bola de queijo endurecido. Histórias sobre outras

Bruxas na mitologia e em Shakespeare

As três bruxas repulsivas que predizem e provocam a destruição de Macbeth na poderosa tragédia de Shakespeare trazem uma forte semelhança com Badbh e Morrígan do mito irlandês. Como elas, as bruxas de Macbeth são velhas, amorais, hábeis em profecia e sexualmente ambíguas. Banquo diz:

> *Vocês deveriam ser mulheres*
> *e, todavia, suas barbas me impedem de interpretar*
> *que vocês o sejam.*

Shakespeare escreveu "A peça escocesa" na época do fervor antibruxas do Rei Jaime I, uma atitude alimentada pela conspiração das bruxas escocesas para assassiná-lo descoberta em 1591. Shakespeare apresentou, deliberadamente, as bruxas como para além de toda decência humana: vingativas, destrutivas e atuantes em rituais horríveis. Nos julgamentos de bruxas da época declarava-se que vítimas eram colocadas sob encantamentos por se recusarem a dar hospitalidade a uma bruxa. É exatamente assim que o rei irlandês Conaire Mór foi destruído pela Badbh na história "Hospedaria de Da Derga". Como o herói de Ulster Cú Chulainn, Conaire Mór foi amaldiçoado por uma dupla *geis*: como ocorreu com a *geis* dos pássaros descrita anteriormente (cf. p. 127), ele foi proibido de ficar sozinho com uma mulher após o pôr do sol, mas obrigado também pelas leis universais de hospitalidade, que o forçavam a entretê-la. Inevitavelmente, a dupla obrigação de Conaire Mór provocou sua ruína. Orientados por Badbh, seus inimigos golpearam sua cabeça. Mas o estranho vínculo de Conaire com o Além-Mundo é mostrado adiante nessa história, pois a cabeça decepada falava com seu companheiro de armas Mac Cécht, que vingou a morte do rei.

Nationalmuseet, Dinamarca
Placa interna do caldeirão de Gundestrup, Dinamarca. Retrata a cabeça e os ombros de uma mulher, flanqueada por duas rodas.

"heroínas" irlandesas, como Deirdre das Tristezas (cf. p. 73-74), enfatizam a ruína de homens cativados por sua beleza. Suas equivalentes galesas não foram tão duramente tratadas na literatura, mas foram, em sua maioria, pálidas, importantes somente como catalisadoras para a ação masculina. Rhiannon e Blodeuwedd se destacam como exceções, mas, mesmo assim, seus destinos foram ditados por homens.

• ESPOSAS MILITARES: MEDBH E MACHA •

Medbh retornou do norte novamente após passar duas semanas assediando a província. Ela atacou Finn-mór, esposa de Celtchar mac Uthidir, e lhe tomou cinquenta mulheres na captura de Dún Sobairche, no território de Dál Riada.
Do TÁIN BÓ CUAILNGE

Medbh figura fortemente no *Ciclo do Ulster*. No conflito cataclísmico entre as duas províncias irlandesas de Ulster e Connacht, como registrado no *Táin Bó Cuailnge*, foi seu ciúme do Grande Touro Marrom de Ulster que a levou a instigar a grande guerra, que terminaria em uma vitória vazia. Medbh foi eleita governante de Connacht. Seu consorte, Ailill, desempenhou um papel mínimo: todo poder era dela. Ela era violenta, sanguinária, astuciosa e promíscua, e, por possuir essas "qualidades", opunha-se a tudo que era considerado apropriado para as mulheres cristãs medievais. A literatura que descreve suas atividades expressa desaprovação em suas páginas, e a predição "tudo terminará em lágrimas" é a mensagem sussurrada constantemente. E assim foi.

O próprio nome de Medbh trai seu caráter, pois significa "Aquela que Intoxica". De acordo com os textos míticos, ela governou Connacht dos centros régios de Tara e Cruachain. Era, certamente, quase uma deidade, em vez de uma rainha terrena, mas foi "evemerizada" (apresentada como uma pessoa, e não como uma divindade) na literatura. Em essência, Medbh era uma deusa da soberania, uma das várias mulheres divinas irlandesas que concediam realeza a governantes mortais. Ela, como suas irmãs, estava preocupada com três coisas principais: sexualidade (que dava à Irlanda sua fertilidade), guerra (que a defendia) e território (que protegia seu povo).

Os princípios morais cristãos seguidos pelo redator monástico (escritor de histórias) se mostram por meio dos excessos de Medbh. Tudo sobre ela era extremo, imoderado e – aos olhos cristãos – impróprio. Ela era uma bêbada, destruidora, adorava sexo e era capaz de emascular o herói mais viril pela velocidade feroz com que se movia com sua biga no campo de batalha. É fácil ver um paralelo estreito entre Medbh e as mênades de Eurípides em *As bacantes*. Ela e seu oponente, o rei de Ulster Conchobar, eram iguais, pois ele era cruel e desleal, e os dois se equiparavam. As credenciais divinas de Medbh se mostram por meio de sua forma humana aparente: como muitos deuses e xamãs, ela possuía ajudantes espirituais animais – no seu caso, um pássaro e um esquilo. Medbh era capaz de realizar magia, e era uma metamorfa, capaz de se transformar de bruxa em donzela quando quisesse.

LIGAÇÕES PERIGOSAS: REGIMENTOS MONSTRUOSOS DE MULHERES

"Qual seu nome?", disse o rei.
"Meu nome, e o nome de minha prole", ela disse, "será dado a esse lugar. Sou Macha, filha de Sainrith mac Imbaith".
Então, ela correu [contra] a biga. Quando a biga chegou ao fim do campo, ela deu à luz a seu lado. Ela pariu gêmeos, um filho e uma filha. O nome Emain Macha, os Gêmeos de Macha, veio daí.
DO *TÁIN BÓ CUAILNGE*

Emhain Macha: local dos reis

No *Ciclo do Ulster*, Emhain Macha era a sede régia do rei mítico Conchobar, o local sagrado de reunião onde a posse dos reis de Ulster ocorria. Mas evidências arqueológicas mostram que esse local foi de grande importância simbólica séculos antes da época dos mitos do começo da Idade Média, pois foi identificado com um local antigo da Idade do Ferro de Forte Navan, no Condado de Armagh. Aqui, em 94 a.C. (sabemos isso tão precisamente graças a uma datação dendrocronológica – por

Stephen Conlin
Forte Navan (reconstruído), Condado de Armagh.

A deusa Macha partilhava algumas características com Medbh, mas é a *persona* tripla de Macha que é sua característica mais surpreendente, uma propriedade que a vinculava às fúrias de batalha, Morrígan e Badbh. Como Medbh, Macha era uma deusa da soberania; um dos grandes centros régios do norte da Irlanda, Emhain Macha, é nomeado em sua homenagem. Nas histórias, Macha é apresentada como uma personagem tripla, cujas origens são separadas, mas se fundiram em uma *persona* multifacetada. Todas as três Machas, contudo, estavam claramente associadas à soberania, à fertilidade e à personificação da

---

anéis de árvore – nos troncos), uma enorme estrutura templar circular de carvalho foi construída em um terreno elevado, com um poste central alto que poderia ser visto a quilômetros. O telhado era de colmo, e toda a construção foi, imediata e deliberadamente, incendiada, talvez como um sacrifício aos deuses celestes.

Próximo, no vale abaixo, havia um pequeno lago, Loughnashade, no qual quatro trombetas cerimoniais de bronze belamente decoradas foram colocadas como uma oferenda religiosa. Talvez tenham sido usadas no ritual que acompanhou a destruição do templo, fazendo, então, um duplo sacrifício: da construção e das trombetas. Claramente, o Forte Navan data de um período muito anterior ao do Emhain Macha mítico, mas investigações arqueológicas demonstraram a longevidade do local como de grande importância cerimonial por mais de um milênio. Um achado da Navan da Idade do Ferro é especialmente importante: o crânio de um macaco de Barbária, trazido do norte da África como um presente esplendidamente exótico para o senhor de Navan.

Paul Jenkins
Trombeta cerimonial de bronze da Idade do Ferro, uma das quatro ritualmente depositadas em um lago próximo do Forte Navan.

Miranda Aldhouse-Green
Placa de xisto retratando três deusas, do Banho Romano.

própria Irlanda. Uma, como Medbh, era uma governante guerreira; outra, uma profetisa e esposa do Rei Nemedh (o nome do rei é importante, pois deriva da palavra celta *nemeton*, que significa "bosque sagrado"); e a terceira – a mais complexa e interessante – era uma deusa casada com um mortal chamado Crunnchu.

Essa última Macha estava inextricavelmente ligada a cavalos, e era indubitavelmente uma deusa equina, como Epona e Rhiannon, mítica galesa. É ela quem é mais completamente descrita nos mitos. Era a corredora mais veloz da terra, e sua rapidez levou Crunnchu a fazer uma aposta com o rei de que ela poderia correr mais rápido do que a sua biga mais veloz. Macha estava grávida na época, mas, mesmo assim, foi forçada a correr; ela venceu, mas morreu ao dar à luz gêmeos. Quando expirou, amaldiçoou os homens de Ulster com uma maldição de fraqueza, de modo que, sempre que enfrentassem uma crise na batalha, seriam acometidos de uma fraqueza como a de uma mulher em trabalho de parto por quatro dias e noites. A corrida de Macha a identifica como uma deusa equina. É também revelador que um dos dois cavalos da biga de Cú Chulainn se chamava Cinza de Macha.

• FEDELMA: ESPÍRITO, VIDENTE E XAMÃ •

O condutor deu meia-volta na biga. Enquanto se aprontavam para voltar ao acampamento, uma jovem apareceu diante deles. Ela tinha um cabelo amarelo. Vestia um manto colorido com um alfinete de ouro, uma túnica com capuz com bordados vermelhos e sapatos com fivelas de ouro. Sua face era larga acima e estreita abaixo; suas sobrancelhas, escuras; e seus cílios negros lançavam uma sombra até o meio de sua face. Seus lábios eram de um vermelho pártico, com dentes como pérolas. Seu cabelo estava arranjado em três tranças... Em sua mão havia uma haste de tecelão de bronze branco decorada com ouro. Seus olhos tinham íris triplas. A jovem estava armada. Sua biga era puxada por dois cavalos negros.

Do *Táin Bó Cuailnge*

O fim sangrento da grande guerra entre Ulster e Connacht, como contado no *Ciclo do Ulster*, foi previsto com grande acurácia por um dos atores mais estranhos do drama. No começo da campanha, enquanto Medbh circulava em sua biga reunindo seus soldados, uma jovem apareceu diante da rainha e seu exército. Sua aparência era surpreendente, como a citação anterior descreve. Quando questionada pela rainha sobre sua identidade, ela respondeu que seu nome era Fedelma e que era uma poetisa de Connacht. Das várias outras perguntas feitas a ela, a mais reveladora foi: "você possui o *imbas forosnai*, a Luz da Presciência?" Fedelma respondeu que sim, e Medbh lhe pediu para profetizar o resultado da guerra e o destino de seu exército. Fedelma, então, deu a resposta assustadora, em verso, de que via o exército banhado em carmim e descreveu o herói de Ulster Cú Chulainn como o meio da destruição de Connacht.

Mas quem ou o que era Fedelma? As indicações estão no modo como os contadores de histórias descrevem sua aparência. A ênfase no número três é importante: seus olhos com três íris mostravam que não era um humano normal, mas que fora tocada pelo Além-Mundo. Na verdade, sua aparência tríplice pode simbolizar sua habilidade para olhar para o passado, o presente e o futuro, ou para as três camadas do cosmos: a atmosfera superior, a Terra e o mundo inferior. Seu manto com manchas também revela seu *status* como um ente de "dois espíritos", um título muitas vezes conferido a xamãs por sua habilidade de viajar entre os mundos. A vestimenta bicolor, que cintilava ou era matizada, refletia essa dualidade.

A principal função de um xamã era ser um vidente, predizer o futuro, e isso é exatamente o que Fedelma estava fazendo. Sua aparência de guerreira, armada e sobre uma biga, é menos fácil de explicar. Talvez estivesse equipada assim porque estivesse enfrentando o mal que a guerra traz e, assim, refletisse a posição moral antiguerra do clérigo cristão que registrou a história. O bastão de tecer de Fedelma lhe dá outra dimensão: ela tinha o poder de tecer o fio do destino de Medbh e cortar a vitalidade de Connacht quando os deuses exigissem.

● DONZELAS, MATRONAS E BRUXAS ●

Enquanto estavam lá na hospedaria, uma mulher apareceu na recepção, após o pôr do sol, e pediu para entrar. Tão longas quanto um bastão de tecelão, e tão negras quanto, eram suas duas canelas. Ela vestia um manto listrado muito felpudo. Sua barba chegava aos joelhos, e sua boca era de um lado da cabeça.
DE "HOSPEDARIA DE DA DERGA"

Já encontramos a triádica Macha, a Morrígan e a Badbh, que poderiam aparecer como humanas ou pássaros carniceiros, mas também como qualquer um dos três estágios da condição feminina: donzela, mãe ou anciã. Desse modo, uma única entidade poderia transcender a idade determinada e representar a totalidade da condição feminina. Na história "Hospedaria de Da Derga", a ruína de Conaire Mór é estabelecida quando este é forçado a dar hospitalidade a uma mulher solitária, a despeito de sua *geis* de nunca estar sozinho com uma mulher. A bruxa horripilante que ele encontra tem muitos "rótulos": ela transgrediu o gênero, veste um manto bicolor e é de aparência anormal.

Badbh e Macha, rico o estoque
Morrígan, que espalha confusão
distribuem a morte pela espada
nobres filhas de Errimas.
EM O LIVRO DAS INVASÕES

Um encontro muito famoso entre um governante humano e uma deusa-bruxa talvez lance as fundações dos contos de fadas de transformação do começo da era moderna, como a história do Príncipe Sapo. Ela está contida em um mito de origem muito antigo – talvez registrado no século V d.C. – no qual a comunidade conhecida como Ui Neill (o Povo de Niall) foi fundada. O fundador da dinastia era Niall dos Nove Reféns, e seu governo é legitimado na história por seu encontro com a deusa da soberania, disfarçada de bruxa.

Niall e seus irmãos estavam fora caçando e ficaram com sede. Encontraram um poço guardado por uma grotesca anciã, que ofereceu água a cada um em troca de um beijo. Todos recuaram

Miranda Aldhouse-Green
Modelo de cachimbo de barro da deusa tripla Rhenish, de Bonn, Alemanha.

Imaginando a deusa-gralha negra

Em moedas cunhadas no século II a.C. pela tribo armórica (bretã) do Unelli há a imagem de um cavalo de guerra galopando, montado por um grande pássaro carniceiro, cujas enormes garras estão cravadas em suas costas. Debaixo do cavalo estão uma criatura semelhante a um escorpião e uma serpente que parecem atacá-lo. É tentador ver a ancestral das deusas-gralhas negras nessa cena estranha. Será que a mitologia irlandesa das fúrias de batalha metamorfas poderia ter se originado de um mito de guerra perdido muito anterior, que pode, ele próprio, ter se originado da visão de pássaros carniceiros se alimentando de cadáveres em campos de batalha?

Ilustração Rowena Alsey
Moeda armórica de ouro da Idade do Ferro retratando um cavalo sendo cavalgado por uma enorme gralha negra.

horrorizados, exceto Niall, que a beijou e, depois, fez sexo com ela. Durante sua união, a bruxa se transformou em uma bela jovem (assim como no conto de fadas de Grimm, no qual um beijo de uma donzela fez com que o sapo se transformasse em um belo e jovem príncipe). Quando Niall perguntou seu nome, ela lhe disse que era Soberania. Niall se tornou, devidamente, rei, com seu governo endossado por seu casamento com a terra da própria Irlanda.

• ESPOSAS INJURIADAS E MULHERES IMPERFEITAS •

E houve tamanho tumulto na Irlanda que não houve paz para Matholwch até que tivesse vingado a desgraça que havia sofrido no País de Gales. Seus homens se vingaram retirando Branwen do quarto de seu esposo e forçando-a a cozinhar para a corte; e mandaram o açougueiro ir até ela todos os dias, após ter cortado carne, e lhe dar um tapa no ouvido.

DE "O SEGUNDO RAMO DOS MABINOGI"

"O segundo ramo dos Mabinogi" é, muitas vezes, chamado de "Branwen", em homenagem à sua personagem central. A despeito de ser nomeada como uma das três maiores mulheres no País de Gales, a própria Branwen é apresentada como uma vítima um tanto sentimental e incapaz da dominação e da agressão masculinas, e é somente quando é maltratada na corte de seu novo esposo (cf. p. 92) que os contadores de histórias dão à personagem alguma substância. Ela cria um estorninho na cozinha, ensina-o a falar e conta a respeito de seu irmão. Após lhe escrever uma carta sobre sua situação, prende-a na base das asas do pássaro e o instrui a voar a Harlech. A guerra de vingança de Brân inflige enormes baixas no País de Gales e na Irlanda. Cheia de pesar pela destruição das duas belas nações, Branwen morre de coração partido.

Como Branwen, Rhiannon, a "heroína" de "O primeiro ramo dos Mabinogi", foi maltratada desde a sua primeira aparição na história, vestida em ouro cintilante; seu cavalo, também, é branco reluzente, com seu colorido denunciando suas origens Além-Mundo. Espreitando sob a *persona* visível de Rhiannon está uma divindade velada: na ocasião de seu casamento, ela presenteia cada convidado com uma joia preciosa, assumindo, assim, o papel da generosa deusa da soberania. A estranha punição imposta a Rhiannon, quando é erroneamente acusada de assassinar e comer seu filho (tendo que atuar como um animal de carga e carregar visitantes nas costas aos portões do palácio), pode se referir a outro elemento, provavelmente anterior, do mito de Rhiannon, que a identifica como uma deusa equina.

> *"Donzela", disse ele, "sois vós uma donzela?" "Que eu saiba, sim." Então ele pegou a vara mágica e a curvou. "Caminhai sobre ela", ele disse, "e, se sois uma donzela, saberei." Então ela caminhou sobre a vara mágica e, com esse passo, deixou cair um belo bebê com um rico cabelo amarelo. O menino emitiu um grito alto. Depois do choro do menino, ela foi até a porta e, em seguida, deixou cair algo pequeno, e, antes que qualquer um pudesse ver o que era, Gwydion o pegou, envolveu-o em um lençol de seda e o escondeu.*

DE "O QUARTO RAMO DOS MABINOGI"

"O quarto ramo dos Mabinogi", muitas vezes nomeado "Math", está permeado de magia, e as duas mulheres que dominam essa história mítica são imperfeitas e negativas: Arianrhod e Blodeuwedd, respectivamente a mãe e a esposa de Lleu Llaw Gyffes. A ausência de castidade de Arianrhod e a crueldade com seu filho são complicadas por uma faceta oculta adicional dessa história. Pois a vara mágica de Math, usada para testar a virgindade, é quase certamente um símbolo fálico, inferindo que Arianrhod teve relações sexuais com seu tio e foi engravidada por ele. Isso pode explicar sua tentativa de impedir o casamento de Lleu e qualquer chance de ele ter filhos. Na mitologia celta, crianças nascidas como resultado de incesto refletiam não apenas vergonha, mas também *status* heroico. Como nos mitos clássicos, o incesto era endêmico entre os deuses, e qualquer prole assim concebida era especial, abençoada pelos deuses. Tanto Math quanto Arianrhod eram, quase certamente, divindades secretas: os poderes mágicos de Math proclamam isso, assim como o nome de Arianrhod, "Roda de Prata", um epíteto celestial, referindo-se, talvez, à lua.

A segunda mulher imperfeita a molestar a vida de Lleu foi Blodeuwedd. Uma esposa "virtual", ela foi conjurada de flores, mas a escolha das flores – giesta (*broom*), carvalho (*oak*) e filipêndula (*meadowsweet*) – é reveladora, pois o amarelo da giesta é um símile frequentemente usado,

LIGAÇÕES PERIGOSAS: REGIMENTOS MONSTRUOSOS DE MULHERES

tanto na mitologia galesa quanto na irlandesa, para descrever o cabelo de uma jovem virgem, e as pétalas, tanto do carvalho quanto da filipêndula, são brancas, símbolos de pureza. Isso torna a deslealdade de Blodeuwedd irônica, mas, apesar disso, quase esperada, devido à sua natureza não humana: ela é um ente espiritual, amoral e instável, sob certos aspectos, semelhante ao monstro *Frankenstein*, criado por Mary Shelley, ou ao computador robótico em *2001: uma odisseia no espaço*, de Kubrick. Gwydion, o criador de Blodeuwedd, foi também o instrumento de sua destruição, embora, por não ser humana, não pudesse ser morta; portanto, por sua magia, foi destinada a assombrar o mundo para sempre, não mais como uma mulher, mas como uma coruja, símbolo da noite, da tristeza e do mal.

● DEUSAS ANTIGAS EM TEXTOS E NA ARQUEOLOGIA ●

Muitas das deusas que deixaram sua marca no registro arqueológico ou no testemunho de escritores clássicos sobre os celtas mostram nítidas similaridades com as mulheres sobrenaturais encontradas nas mitologias irlandesa e galesa posterior. Algumas eram abertamente sanguinárias, empunhando armas e exigindo sacrifícios humanos. Outras eram, aparentemente, poderosas, mas essencialmente pacíficas. Como suas irmãs míticas, as deusas antigas, muitas vezes, possuíam uma estreita afinidade com animais, fossem cavalos, cães ou pássaros. Essa ancestralidade rica, embora indireta, é especialmente clara na mulher guerreira mítica irlandesa, como Medbh e Morrígan, que seguiam os passos das deusas da guerra cultuadas na Grã-Bretanha e na Gália antigas.

Andrasta
O escritor do século III d.C., Dião Cássio, escreveu sobre o apelo de Boudica à deusa Andrasta para que ela triunfasse sobre os romanos na Grã-Bretanha, em 60 d.C. Andrasta necessitava de sangue humano para se apaziguar, e sua vontade foi mostrada à rainha rebelde Iceni por meio de uma lebre, que correu a uma determinada direção para indicar o apoio de Andrasta à causa dos rebeldes.

A despeito de um sinal assim, Boudica e seu exército foram derrotados, mas não antes que três cidades romanas e meia legião fossem destruídas. Nenhuma imagem de Andrasta sobrevive na iconografia britânica antiga. Contudo deusas de guerra genéricas foram retratadas. Algumas moedas gálicas do norte cunhadas pelos redones (próximos da Rennes moderna) retratam uma cavaleira nua de cabelos revoltos, bradando armas e gritando ao inimigo.

Uma deusa siluriana

Em algum momento no século III d.C. um devoto erigiu uma pequena estátua de arenito de uma deusa local (a seguir) em Caerwent, no sul do País de Gales, a capital dos silures. Essa tribo havia se oposto fortemente à dominação romana por muitos anos, após o resto do sul da Grã-Bretanha ter sido pacificado, e só foi subjugada depois de uma fortaleza legionária romana ter sido estabelecida nas proximidades de Caerleon, por volta de 75 d.C. A escultura de pedra, provavelmente, esteve, outrora, em um templo, talvez aquele construído próximo ao mercado e à prefeitura romanos em Caerwent.

Newport Museum & Art Gallery
Estatueta de arenito de uma deusa sentada, com folhas e frutos do teixo, de Caerwent.

O nome dessa deusa é desconhecido, mas o escultor forneceu algumas informações sobre ela. Foi retratada sentada em uma cadeira de encosto alto, uma marca de *status* elevado. Ela carregava um fruto ou um pequeno pão e o que parece ser um ramo de abeto. Mas, em vez disso, esse último objeto pode representar uma folha de teixo, um símbolo de longevidade e renascimento (devido à capacidade da árvore de se regenerar a partir de dentro do tronco). Nesse caso, então, a escultura lembra Caer Fruto do Teixo, a namorada espiritual de Oenghus, o deus irlandês do amor.

Nerthus e Nehalennia

Em *Anais*, escrito no fim do século I d.C., Tácito descreveu uma cerimônia germânica anual em honra à deusa da fertilidade chamada Nerthus, cujo santuário se encontrava em um bosque sagrado em uma ilha abençoada. Em preparação para o seu festival, todos os objetos de ferro tinham de ser escondidos. A deusa era levada pelos campos em uma charrete, coberta por um tecido (em um ritual

Archäologiemuseum, Graz
Carroça de culto de bronze, retratando cervos, caçadores, cavaleiros e uma grande deusa central segurando um pote de oferendas. Século VII a.C., de Strettweg, Áustria.

reminiscente da cerimônia de "bater os limites"[1], que ainda hoje é realizada em comunidades inglesas para marcar seus limites físicos). Ninguém senão o sacerdote tinha permissão para tocar o tecido ou o veículo. Depois disso, antes de ser levada de volta ao seu santuário, a carroça e a deusa eram purificadas em um lago sagrado por dois escravos. Mas esses escravos tinham tocado algo muito sagrado para continuarem vivendo, e, então, foram ritualmente afogados no lago de Nerthus. Embora Nerthus fosse apresentada como uma deidade essencialmente benigna, trazendo prosperidade para a sua comunidade agrícola, ela também tinha um lado sombrio e exigia vítimas sacrificiais humanas de seus adoradores.

Como Nerthus, Nehalennia era uma deusa do norte: ela pertencia aos povos celto-germânicos que viviam no que agora são os Países Baixos, próximo à costa do Mar do Norte. Ela era uma deusa que protegia marinheiros mercantes que carregavam mercadorias entre a Grã-Bretanha e a Holanda. Embora não seja encontrada na literatura antiga, sua identidade é conhecida de uma rica reunião de esculturas e inscrições de pedra que sobreviveram ao afundamento de seus templos pelo avanço do mar.

Nehalennia é, muitas vezes, retratada com imagens marinhas, como barcos ou remos de direção, e com símbolos de abundância, como cestos de frutas e pão. Mas sua companhia constante era um grande cão, que aparece em seus monumentos sentado próximo a ela, claramente parte de sua *persona*. O cão expressava as qualidades de guardião da deusa e pode também revelar seu outro papel como deidade curadora. O deus-curador grego Asclépio era estreitamente associado a cães: animais vivos eram mantidos em seu santuário em Epidauro, devido à sua capacidade manifesta de curar suplicantes doentes por meio de sua saliva.

---

1. Em inglês, no original, *"beating the bounds"*. Prática antiga de marcar os limites da comunidade caminhando em torno dela e golpeando certos pontos com varas [N.T.].

Musée de Bretagne, Rennes
Deusa-ganso de bronze do fim da Idade do Ferro, de Ninéault, Bretanha.

Uma deusa-ganso bretã

Uma grande estatueta de bronze da Idade do Ferro de Dinéault, próximo a Rennes, retrata uma jovem deusa da batalha. Tudo o que sobreviveu dela foram a cabeça, os braços e os pés, mas os dedos de sua mão direita estão crispados, como se segurassem o cabo de uma lança. Ela usa um elmo, no topo do qual está um ganso, com seu pescoço estendido em direção a um inimigo. A estatueta, provavelmente, representa uma deusa protetora local, talvez, uma guardiã tribal. Gansos são conhecidos por sua territorialidade e sua prontidão em espantar invasores da propriedade. Na sociedade da Idade do Ferro, esses pássaros eram reverenciados como ícones de guerra, e seus corpos eram, por vezes, enterrados com guerreiros em tumbas. Os soldados de cavalaria retratados no caldeirão de Gundestrup usavam elmos com pássaros no topo, e esses pássaros podem ter sido gansos – ou gralhas negras, que eram, particularmente, associadas às imagens de batalha na mitologia celta.

• 8 •

TERRA E ÁGUA: UMA EBULIÇÃO DE ESPÍRITOS

*Após três dias, Uathach disse a Cú Chulainn que, se ele realmente
quisesse aprender feitos heroicos, deveria ir onde Scáthach estava
ensinando seus dois filhos, Cúar e Cat, e dar o salto heroico de
salmão para o grande teixo onde ela estava descansando.*
Do *TÁIN BÓ CUAILNGE*

Muitas histórias contadas nos mitos celtas tentavam dar sentido ao
mundo e aos fenômenos naturais. Espíritos espreitavam em cada
traço da paisagem. Cada montanha, lago, fonte, pântano e árvore
tinha uma vitalidade cuja origem repousa no mundo sobrenatural.
Essa noção é semelhante à crença romana de que cada lugar possuía
um *genius loci*, o espírito do lugar. Para os celtas, a ideia de que a
terra era povoada de espíritos tinha tanta força na consciência das
pessoas que os seus mitos, especialmente na Irlanda, contêm uma
percepção proeminente de que o poder do rei repousava com a
deusa da soberania, a personificação da própria terra, e que somente
pela sua aceitação dele e pelo casamento de ambos é que ele poderia
governar com sucesso (cf. p. 165).

• ÁRVORES DA VIDA E DA MORTE •

*Nativos supersticiosos acreditavam que o chão muitas vezes tremia,
que gemidos vinham de cavernas subterrâneas ocultas, que
teixos eram arrancados e milagrosamente replantados, e que, por
vezes, serpentes se enrolavam nos carvalhos, que ardiam em fogo,
mas não queimavam. Ninguém ousava entrar nesse bosque, exceto o
sacerdote; e mesmo ele o evitava ao meio-dia e entre o amanhecer e
o entardecer – por medo de que os deuses pudessem estar fora nessas
horas.*
LUCANO, *FARSÁLIA*, III, v. 417-422.

TERRA E ÁGUA: UMA EBULIÇÃO DE ESPÍRITOS

De William Stukeley, Stonehenge, a Temple Restor'd to the British Druids, 1740. Imagem da cerimônia druídica do carvalho e do visco de Plínio, séculos XVII-XVIII.

Na Irlanda antiga, o carvalho, o teixo, o freixo e a aveleira eram escolhidos para veneração especial. Dessas, o carvalho parece ter sido o mais sagrado, provavelmente devido ao seu grande tamanho e à sua longevidade (como o teixo). Ainda hoje, o carvalho domina as paisagens rurais, e é fácil ver como, em um mundo sem prédios e cidades grandes, essa árvore teria sido uma parte integrante de paisagens sagradas e numinosas da Irlanda e do País de Gales.

A referência mais antiga à importância sagrada do carvalho aparece na *História natural*, de Plínio o Velho, escrita no século I d.C., na qual foi descrito um ritual druídico na Gália, centrado em torno do Carvalho Vallonia, a mais sagrada de todas as árvores. Ele narra como um druida subiu no carvalho no sexto dia da lua crescente e cortou o visco que estava crescendo, pegando-o em um pano branco. Dois touros brancos foram sacrificados, e as folhas e os frutos do visco, transformados em uma poção que, magicamente, curava todas as doenças e tornava férteis animais inférteis.

Para os antigos druidas, então, carvalhos eram considerados especiais, hospedeiros do curioso visco parasítico, que cresce como bolas verdes brilhantes em árvores de inverno aparentemente mortas, com frutos brancos e viscosos simbolizando a lua e um suco pegajoso como o sêmen. A importância sagrada dos carvalhos percorre vários mitos irlandeses e galeses. No mundo clássico, carvalhos eram associados a deuses celestiais, e essa ligação também está presente na história galesa de Lleu, o deus galês da luz, que, quando atacado, transforma-se em uma águia e pousa em um carvalho.

Visco curativo

O jovem encontrado em um pântano em 1984, em Lindow Moss, Cheshire, foi sacrificado aos deuses no século I d.C. Ele recebeu golpes selvagens na cabeça e teve a garganta cortada enquanto era estrangulado. Seus tecidos foram preservados (cf. imagem p. 195) devido às condições nas quais foi sepultado (submerso em um meio aquoso anaeróbio), e, por isso, foi possível examinar seu conteúdo estomacal. Descobriu-se que ele havia comido um tipo especial de pão assado na chapa, feito de uma variedade de cereais e sementes, mas que incluía pólen de visco. Poderia esse ter sido um alimento sagrado, comido para santificar a oferenda ao mundo espiritual, ou talvez fosse um agente curativo simbólico, destinado a facilitar sua passagem ao Além-Mundo?

Embora usualmente considerado como venenoso, há surpreendentes testemunhos modernos dos poderes curativos medicinais do visco. O jornal *The Times* registrou, em 2012, que John Edrich, um ex-jogador de críquete da Inglaterra que estava sofrendo de leucemia, teve a qualidade e a expectativa de vida enormemente melhoradas por duas injeções semanais de visco aplicadas por um especialista em câncer em Aberdeen. Aparentemente, a planta tem a propriedade de estimular o sistema imunológico humano, e pesquisas em curso buscam ver se outros pacientes de câncer poderiam se beneficiar de um tratamento similar.

De acordo com tradições míticas irlandesas associadas ao reinado, carvalhos eram pontos focais em lugares de reunião, como Tara (Condado de Meath) e Emhain Macha (Condado de Armagh), onde a posse dos reis ocorria. Na coleção de histórias em prosa conhecida como *The History of Places* (*A história dos lugares*), árvores, especialmente carvalhos, eram consideradas fontes de sabedoria (isso está de acordo com a etimologia da palavra "druida", cujo significado é algo como "a sabedoria do carvalho"). O local régio mítico de Emhain Macha, como vimos, tinha uma enorme estrutura circular de carvalho; em seu centro havia um poste massivo que se erguia tão alto que podia ser visto a quilômetros. Isso deve ter representado um carvalho sagrado vivo.

Um carvalho galês mágico

Um carvalho cresce entre dois lagos,
muito escuro é o céu e o vale.
A menos que me engane,
isso é devido às flores de Lleu.

Um carvalho cresce em uma planície elevada,
chuva não o molha, calor não o derrete mais;
ele sustinha aquele que possui cento e oitenta atributos.
Em seu topo está Lleu Gyffes.

ENGLYNS CANTADAS POR GWYDION PARA LLEU, EM "O QUARTO RAMO DOS MABINOGI"

Lleu Llaw Gyffes era um herói de "O quarto ramo dos Mabinogi". A história contém um episódio curioso, no qual um carvalho mágico tem um papel central. Lleu dá um grito extraordinário quando é mortalmente ferido pelo amante de sua esposa Blodeuwedd, e, transformando-se em águia, voa e desaparece. Gwydion, o tio de Lleu, sempre defendera seu sobrinho, e ficou perplexo com seu desaparecimento. Tendo vagado pelo centro do País de Gales em busca de Lleu por algum tempo, Gwydion chegou à casa de um camponês onde passou a noite.

> **Bosques sagrados**
>
> Literatura clássica e inscrições em moedas são testamentos da veneração de árvores na Gália antiga, pois os nomes de certas tribos refletem o simbolismo das árvores. Os eburones eram a "Tribo do Teixo"; os lemovices, o "Povo do Olmo". Arvoredos tinham uma santidade particular na Gália e na Grã-Bretanha celtas antes da conquista romana. Tácito, Lucano e outros escritores se referem aos bosques sagrados galo-britânicos, onde os espíritos espreitavam e os sacrifícios humanos eram perpetrados. A lebre que a rainha britânica Boudica usou para adivinhar a vontade da deusa da vitória britânica, Andrasta, foi libertada em um bosque.

O fato é que o porqueiro da família estava tendo problemas com sua leitoa, que desaparecia à noite. No dia seguinte, Gwydion saiu em busca da leitoa; ela finalmente parara sob um carvalho, onde se empanturrou com vermes e carne em decomposição. Havia uma águia na árvore; toda vez que o pássaro sacudia as penas, caía uma chuva de vermes e fragmentos de carne podre. Percebendo que a águia era Lleu, seu sobrinho transformado, Gwydion cantou a ele três variações de um *englyn* (um poema mágico) para atraí-lo para baixo.

A canção menciona o carvalho no qual a águia pousou, e também "as flores de Lleu", claramente uma referência a Blodeuwedd, sua esposa conjurada de flores. Após a terceira estrofe do poema, o pássaro aterrissou no joelho de Gwydion; o mago o golpeou com sua vara mágica, e Lleu voltou à forma humana. Mas a carne putrefata e os vermes haviam feito um estrago: o desafortunado homem estava somente pele e osso. Após um ano de cuidados médicos, Lleu acabou se recuperando.

O papel do carvalho nesse mito galês não é imediatamente aparente, mas a árvore parece ter atuado como uma guardiã, permitindo ao ferido Lleu permanecer num estado de suspensão entre a vida e a morte, em uma árvore que se erguia em direção ao céu, até que pudesse ser resgatado e trazido de volta à vida humana. A águia pode ter representado o espírito liberto do homem morto, preso no limbo, incapaz de entrar no mundo dos mortos.

● OS MITOS DA ÁGUA ●

Tir na n'og, a Terra dos Jovens, era tão doce quanto o Elísio, tão vívida quanto o Nirvana, tão desejável quanto o Valhalla, tão verde e ensolarada quanto o Éden. Todas as almas visavam ganhar esse céu eterno, e toda vez que uma das ondas do Atlântico, os "cavalos brancos", dobrava-se na costa da Terra dos Jovens, outro espírito recebia permissão para entrar.
Do Ciclo feniano

Por viverem em uma ilha cercada pelo oceano, não surpreende que os irlandeses venerassem o deus do mar. Seu nome era Manannán mac Lir, "Filho do Mar". Ele tinha um equivalente próximo no País de Gales, com um nome correspondente – Manawydan filho de Llŷr –, mas sabemos mais sobre o deus irlandês. Como seu reino marítimo circundava a terra da Irlanda, Manannán era reverenciado como protetor. Ele estava particularmente conectado com o mito do Além-Mundo Feliz, que se acreditava existir nas ilhas marítimas distantes. Um texto do século VII, *A Viagem de Bran*, conta a história de um mortal atraído para essas ilhas pela doce música levada por meio das águas. Bran, o herói, zarpou para a ilha, com seus três irmãos adotivos e 27 guerreiros. Durante a viagem marítima, Bran encontrou Manannán, guiando sua biga marítima puxada pelos "cavalos brancos" do turbulento mar. Ele vestia um manto mágico, que, como o próprio mar, reluzia e assumia várias cores brilhantes.

Tanto Manannán como seu equivalente galês Manawydan eram não apenas deuses do mar, mas também senhores da magia, da sabedoria, da trapaça e da habilidade artesanal. O deus irlandês foi capaz de ajudar Lugh, o deus irlandês da luz, a derrotar os monstruosos fomorianos, usando magia para criar um barco que obedecesse aos

O rio de Boann

Considerando que uma função-chave do mito é explicar características do mundo natural, não surpreende que lendas foram tramadas em torno dos grandes rios da Grã-Bretanha e da Irlanda, com muitos recebendo identidades femininas. Na Inglaterra, os romano-britânicos personificaram o Thames como a deusa Tamisa, e o Severn como Sabrina. No norte, Verbeia era a deusa do Rio Wharfe. O rio mais famoso na mitologia irlandesa foi o grande Boyne, nomeado em homenagem à deusa Boann.

A história de Boann está relatada no topográfico *História dos lugares*. Em um nível, a história pode ser interpretada no contexto do tema cristão familiar da promiscuidade pagã e da imprevisibilidade feminina. Boann era a esposa errante de um espírito da água chamado Nechtan, que possuía um poço o qual ela era proibida de visitar. Como quase sempre ocorria com esses tabus ou proibições, ela o desobedeceu, e, em sua fúria, ele fez a água do poço ferver a ponto de transbordar e gerar uma inundação que a engolfou. Ela se tornou o Rio Boyne. Em outra história, Boann tinha uma ligação secreta com Daghdha, um dos grandes deuses irlandeses. O fruto de sua união foi Oenghus, o patrono divino dos amantes.

Musée Archéologique, Dijon/Bridgeman Art Library
Estatueta de bronze da deusa gaulesa do Rio Sequana, do Sena.

TERRA E ÁGUA: UMA EBULIÇÃO DE ESPÍRITOS

National Museum of Ireland, Dublin
Modelo de barco em ouro de Broighter, Condado de Derry, Irlanda. Século I a.C.

pensamentos de sua tripulação e fosse movido sem remos ou velas; um cavalo que podia nadar tão bem quanto galopar; e "Fragarach", uma espada formidável capaz de atravessar qualquer armadura. Na mitologia galesa, Manawydan era igualmente dotado: seus papéis mais importantes eram os de forjador mágico e agricultor. Talvez aí, nos atributos particulares de Manawydan, possamos vislumbrar um mito de fundação muito antigo, que buscava explicar as origens tanto do cultivo quanto da forjaria.

O poder da água: o lago dos cisnes

Aqui na onda solitária de Derravaragh,
que por muitos anos será vosso lar aquoso,
nenhum poder de Lir ou druida pode agora vos salvar
de um vagar sem fim na espuma solitária.
Em O LIVRO DAS INVASÕES

A transformação de jovens donzelas em cisnes em lagos é um motivo permanente na mitologia irlandesa, e é como se um local aquático fosse necessário para que a mudança de forma fosse bem-sucedida. A história de Oenghus e da garota-cisne Caerr é um ótimo exemplo (cf. p. 69-70). Outra história envolve Manannán mac Lir, o deus do mar. Seus filhos tinham uma madrasta má chamada Eva. Por ciúme, ela lançou uma maldição sobre eles e os transformou em cisnes, primeiro, atraindo-os para um lago e, depois, recrutando a ajuda de um druida para realizar o encantamento.

Uma condição da consequente libertação da forma de pássaro era que deveriam, primeiro, passar 300 anos em cada um dos três locais. Contudo, a maldição só seria suspensa quando um príncipe do norte se casasse com uma garota irlandesa do sul, de origem régia, e quando os filhos-cisne de Lir ouvissem o tinir de um sino. Esses termos são importantes: o casamento sugere a união entre o norte e o sul da Irlanda e, talvez, o fim da rixa entre Ulster e Connacht; e o sino era a "voz" do cristianismo, que significava o fim do paganismo e a adoção do novo monoteísmo cristão. A história, infelizmente, não tem final feliz. De fato, a maldição das crianças-cisne terminou sendo suspensa, mas quando já eram anciãs; elas morreram quase imediatamente, e um sacerdote chamado Kemoc lhes deu um enterro cristão.

Peter Zoeller/Design Pics/Corbis
Os seios de Anu, Rathmore, Condado de Kerry, segundo a crença, são os seios da deusa fundadora irlandesa Anu na mitologia irlandesa antiga.

• SOBERANIA, REINADO SACRO E A TERRA •

Uma das imagens recorrentes mais poderosas da mitologia irlandesa é a personificação da Irlanda como uma deusa. Pares de montes são conhecidos variadamente como "os seios de Morrígan" ou "os seios de Anu" (ou Danu, uma deusa fundadora do país). Para que o país prosperasse, tinha de haver um casamento ritual entre a deusa e o rei mortal da Irlanda. Se o governante terreno fosse generoso, o país prosperaria; se fosse mesquinho, a deidade retiraria sua beneficência, e o país languesceria até que houvesse um novo rei.

Como um sinal de que ele era um cônjuge aceitável, a deusa daria ao novo rei um copo de vinho, para simbolizar a garantia de que, sob seus auspícios, a Irlanda seria um país de abundância. Ériu, a deusa epônima da Irlanda, era uma doadora de vinho divina. Outra (como sugerido por seu nome "Aquela que Intoxica") era Medbh, a deusa-rainha de Connacht: ela se casou com nove reis mortais e, por isso, foi denunciada por cronistas cristãos. Em um contexto pagão, contudo, sua "promiscuidade" garantiu a fertilidade continuada do país.

Parceiros divinos galo-romanos

Uma arte em relevo recorrente na iconografia de culto nativa gaulesa retrata um homem e uma mulher, lado a lado. Eles são apresentados como parceiros iguais, e são iguais em tamanho. Onde evidências epigráficas estão presentes, o homem, muitas vezes, tem um nome romano, mas sua parceira, um nome nativo, geralmente contendo alusões a rios ou a outras características na paisagem, como se sua *persona* fosse definida por essas associações locais. Dois pares amplamente venerados de deidades gaulesas que mostram isso são Mercúrio e Rosmerta, e Apolo e Sirona. Esse padrão de denominação pareceria sugerir que era a deusa que estava arraigada no país, enquanto o deus tinha uma natureza mais flexível e versátil, além de, segundo a crença, ter vindo de fora.

O nome de Rosmerta pode ser traduzido como "A Boa Provedora", alinhando-a firmemente com os mesmos atributos que a deusa da soberania irlandesa. Em suas imagens, ela, frequentemente, carrega símbolos da prosperidade da Terra e de bem-estar: uma cornucópia ou casa em miniatura em um longo poste que pode representar lareira e lar. O nome de Sirona significa "Estrela", mas, a despeito da sugestão de que fosse uma divindade celestial, suas imagens e contexto mostram que ela foi, sobretudo, uma deusa da cura. Esculturas em pedra e bronze retratando Apolo e Sirona foram associadas a santuários gauleses de fontes de cura. O próprio Apolo era um cura e um deus da luz, de modo que a parceria dele com Sirona é apropriada.

Miranda Aldhouse-Green
Escultura de pedra galo-romana dos parceiros divinos Mercúrio e Rosmerta, de Glanum, sul da França.

> ### Casando-se com a égua
>
> Em 1185, Geraldo de Gales (Giraldus Cambrensis) registrou uma cerimônia de posse régia medieval de reinado sacro experienciada por novos governantes de Ulster. Curiosamente, o casamento mítico entre o rei mortal e a deusa da soberania recebe uma nova versão, pois, no testemunho de Geraldo, a união simbólica foi entre o rei humano e uma égua branca. Para o "casamento", o rei desempenhava o papel de um garanhão. Em seguida, porém, a égua foi sacrificada, e sua carne fresca, cozida em um caldeirão. Geraldo faz uma descrição um tanto macabra do rei eleito sentado em uma banheira contendo o caldo e a carne da égua enquanto come e bebe os restos cozidos de sua "rainha".
>
> Essa história foi, provavelmente, fabricada ou exagerada por seu cronista cristão. Todavia contém indicações de conexões anteriores entre cavalos e deusas de soberania: Macha tinha fortes associações equinas, e, no País de Gales, podemos ver uma história velada de reinado sacro em "O primeiro ramo dos Mabinogi", no qual Pwyll, rei de Narberth, viu pela primeira vez sua rainha, Rhiannon, cavalgando sua reluzente égua branca.

Esse sistema de parceria entre humano e divino era conhecido na tradição irlandesa como um reinado sacro e foi uma pedra fundamental da literatura mítica irlandesa antiga. Como um conceito, não está muito distante do direito divino britânico dos reis, no qual se acreditava que um monarca ungido pela Igreja teria recebido sanção divina, embora isso ainda pudesse ser desfeito, caso se considerasse seu governo imprudente.

É possível que as raízes do reinado sacro se encontrem no simbolismo religioso que pode ser remontado ao período romano na Europa ocidental: algumas esculturas retratam casais divinos em que a mulher carrega emblemas de fertilidade, como uma cornucópia (corno da abundância), enquanto o homem segura um copo ou um pequeno vaso. Isso é muito claro em uma escultura de pedra de Glanum, no sul da França (cf. imagem da "Escultura de pedra galo-romana" apresentada anteriormente).

TERRA E ÁGUA: UMA EBULIÇÃO DE ESPÍRITOS

● PAISAGENS ANCESTRAIS E PASSADOS CONFLITANTES ●

Há muito tempo, em Erin, quando o povo de Danu foi derrotado pelos milésios, ele teve de ir para as colinas e montanhas, onde construiu para si vastos palácios dentro das colinas.

EM *O LIVRO DAS INVASÕES*

Permeando os mitos da Irlanda estava a ideia de um Além-Mundo tangível habitado pelos espíritos. Esse domínio invisível poderia ser acessado de vários modos (pelo mar, pelos rios ou pelas cavernas) e, segundo a crença, estava localizado em uma série de lugares, incluindo ilhas. Central ao Além-Mundo eram as *sídhe*, montes na paisagem identificados nos mitos como lugares habitados por deuses. O que parece ter ocorrido é que túmulos de passagem do neolítico irlandês antigo, como Newgrange e Knowth, eram considerados *sídhe*, embora tivessem sido construídos como tumbas vários milênios antes das histórias medievais em prosa. É fácil ver por que essas ligações foram feitas, pois os monumentos fúnebres antigos, especialmente as tumbas do Vale do Boyne, são detalhes impressionantes da paisagem. Não são apenas grandes e surpreendentes, mas também altamente decorativos, como se, na verdade, fossem as moradas dos deuses antigos.

Os construtores originais de Newgrange fizeram a fachada de quartzo branco brilhante manchado com granodiorito negro, para criar uma parede cintilante e extraordinária de cores que mudam. Dentro dessas tumbas massivas de pedra estavam blocos ornamentados com estranhos desenhos. Newgrange tinha uma elaborada "claraboia", uma abertura abaixo do telhado na entrada, que permitia que o sol do amanhecer no solstício de inverno inundasse a passagem para a última câmara, como se convocasse os mortos com um toque de clarim de luz. Não surpreende que monumentos tão fantásticos fossem considerados impossíveis de serem feitos por mãos e crenças humanas ancestrais.

The Irish Times
A claraboia sobre a entrada para o túmulo de passagem neolítico em Newgrange, Condado de Meath, Irlanda, durante o solstício de inverno.

Tara

O local régio de reunião em Tara, no Condado de Meath, era impregnado de mito. Era reputadamente o local da posse de reis lendários e históricos. As evidências para a lenda régia e a realidade em Tara estão baseadas na literatura medieval, incluindo as histórias míticas em prosa dos séculos VIII a XII d.C. e documentos históricos anteriores, incluindo tratados jurídicos.

Um legado régio de Tara

Uma evidência arqueológica sólida ligando Tara a um rei histórico antigo é uma celebração em uma pedra ogham encontrada lá. Ogham era uma escrita linear irlandesa que consistia em traços horizontais agrupados ao longo de uma borda vertical, com cada combinação individual de traços formando uma letra. Essa lápide celebra Mac Caírthinn, um rei antigo de Leinster, cujo nome aparece em um tratado jurídico do século VII.

Um dos achados mais famosos de "Tara", que data do período medieval, é o assim chamado "broche de Tara" (encontrado não em Tara, mas próximo a Bettystown). A joia, feita de prata dourada, consistia em um broche na forma de um anel, decorado com vidro, esmalte e âmbar, e coberto com ornamentos gravados e filigranas. Media 4,6cm de diâmetro e era claramente utilizado como uma fivela de capa por alguém de *status* extremamente elevado. Poderia esse único objeto outrora ter decorado um manto pertencente a um alto rei de Tara?

Department of Defence, Dublin
Vista aérea de Tara, o Local Régio de Assembleia no Condado de Meath, Irlanda. Os monumentos datam do neolítico e da Idade do Bronze.

Tara tem uma enorme importância arqueológica, com toda uma série de monumentos antigos. Mas o que é mais surpreendente sobre o local é que sua reputação, como um centro cerimonial onde altos reis da Irlanda eram empossados, baseia-se quase inteiramente em uma paisagem monumental sagrada que antecede o começo do mundo mítico irlandês medieval em milhares de anos. Esse local ritual contém tumbas pré-históricas, círculos de pedras (*henges*), diques lineares e monólitos, os quais eram incluídos nas lendas. A primeira área cercada de Tara data do quarto milênio a.C., seguida pelos túmulos de passagem posteriores do neolítico (similares a Newgrange), como o "Túmulo dos Reféns". Comunidades da Idade do Bronze construíam ao redor de túmulos e depositavam tesouros de ouro ali.

● A PEDRA DE FÁL ●

No começo do período medieval, marcos pré-históricos foram embelezados e incorporados a monumentos contemporâneos, vinculando, assim, essa paisagem ritual a fases mito-históricas do local. Em um desses complexos estava a Pedra de Fál, um monólito megalítico que recebeu um lugar proeminente como pedra gritante na mitologia de posse de reis. (A pedra daria um grande grito quando tocada pelo novo rei legítimo.)

Conaire Mór foi um rei irlandês mítico. Como outros, teve de experienciar um ordálio para estabelecer suas credenciais como um governante apropriado: o primeiro era montar uma biga que imediatamente se inclinava e expelia qualquer candidato não legítimo e cujos cavalos o atacavam. O candidato tinha de vestir um manto colocado na biga: se não fosse o rei legítimo, o manto ficaria muito grande. Em seguida, Conaire teve de guiar a biga entre duas pedras; se não fosse aceitável, as pedras estreitariam o vão e não lhe permitiriam passar exceto de lado. Finalmente, ao fim do trajeto da biga, a Pedra de Fál estaria esperando para gritar contra o eixo da biga de um rei legítimo. A pedra fora concebida claramente como um

TERRA E ÁGUA: UMA EBULIÇÃO DE ESPÍRITOS

National Geographic Image Collection/Alamy
Monólito, considerado a Pedra de Fál, na colina de Tara, Condado de Meath, Irlanda.

símbolo fálico, um sinal do direito do governante legítimo de se casar com a deusa da soberania e fazer o país prosperar.

• RITUAIS SAZONAIS •

"Nenhum homem viajará por esse país", ela disse, "que não tenha ficado sem dormir desde Samhain, quando o verão vai para seu repouso, até Imbolc, quando as ovelhas são ordenhadas no começo da primavera; de Imbolc a Beltine, no começo do verão, e de Beltine a Brón Trogain (Lughnasadh), o outono entristecedor da Terra".
Do TÁIN BÓ CUAILNGE

Em todo o mundo de clima temperado as pessoas reconhecem, celebram e santificam as mudanças entre estações. Do festival cristão da Páscoa ao festival *viking* do fogo de Up Helly Aa, em Shetland, em janeiro, as estações desempenham um papel fundamental nos calendários de povos rurais, e em nenhum lugar mais do que nas comunidades agrícolas. Na Irlanda celta, quatro grandes cerimônias sazonais marcavam os diferentes estágios no ano arável e pastoral. Samhain era celebrado no fim de outubro/começo de novembro, na fronteira entre o ano velho e o novo ano celta. Como seu sucessor, o Hallowe'en, Samhain era uma época perigosa de "não ser", quando o mundo se detinha e os espíritos deixavam seu lar no Além-Mundo para vagar entre os vivos.

Na origem, Samhain estava vinculado ao calendário pastoral e, provavelmente, conectado ao recolhimento do rebanho de gado e ovelhas do pasto aberto para o inverno e à seleção daqueles destinados ao abate ou a serem alimentados durante o inverno e procriar. Samhain estava estreitamente conectado a Tara, e era nesse período sagrado e perigoso que muitas assembleias e posses de reis ocorriam, de modo que pudessem ser abençoadas pelos deuses errantes.

Imbolc era o festival do começo da primavera: celebrado no começo de fevereiro e associado ao parto e à produção de leite de ovelhas. O nome significava purificação ou limpeza e pode estar associado à brancura do leite, mas também, talvez, à necessidade de verificar a saúde dos animais após seu confinamento no inverno, quando infecções poderiam facilmente se multiplicar entre rebanhos. Imbolc estava especialmente associado a Brígida, uma deusa pagã irlandesa encarregada dos laticínios. Brígida foi transformada em uma santa no começo do período cristão, mas ainda manteve suas responsabilidades pela produção de leite, manteiga e creme.

Os dois outros festivais celtas marcavam o começo e o fim do verão. Beltane (ou Beltine) era um festival do fogo, celebrado, como muitas cerimônias solares, tanto na ação de graças (*thanksgiving*), pela chegada da estação quente e da luz do sol, quanto para assegurar que o sol sempre retornaria para maturar os grãos. As cerimônias do Beltane ocorriam em 1º de maio na Irlanda e na Escócia. Fogueiras eram acesas pelos druidas em locais sagrados, como Tara, e rebanhos

Um antigo calendário gaulês

Em 1897, fragmentos de uma grande tabuleta de folha de bronze foram descobertos deliberadamente enterrados em um campo no norte de Coligny, no centro da França. As peças foram parte da gravura de um enorme calendário lunar ritual de cinco anos, escrito em caracteres romanos, provavelmente datando dos séculos I a III d.C., mas escrito em gaulês. O calendário lista eventos sacrificiais e sagrados, e divide cada mês de 28 dias em quinzenas, de acordo com o aumento e a diminuição da lua: a primeira quinzena era a mais ativa, separada da segunda pela palavra gaulesa *Atenoux*. Uma das palavras mais importantes na inscrição é *Samonios*, a mesma palavra que *Samhain*. Isso indica que os festivais celtas, de modo algum, eram confinados às fronteiras celtas do oeste, mas foram originalmente celebrados em uma região muito mais ampla que incluía a Gália.

O Calendário de Coligny fora um objeto valioso e muito sagrado, usado para prever eventos naturais e para planejar cerimônias religiosas. Então por que foi deliberadamente quebrado em pedaços e enterrado? Talvez tenha-se tornado redundante, mas era carregado demais de força espiritual para que o metal pudesse ser fundido e reutilizado. Ou, talvez, os fragmentos dispersos representassem os resultados de perseguição e a necessidade manifesta do clero local de manter os segredos do calendário, escondendo-o e tornando impossível lê-lo (assim como picotamos cartões de banco hoje).

Miranda Aldhouse-Green
Parte do Calendário de Coligny, de Ain, França.

de gado eram guiados entre pares de fogueiras a fim de se purificar. Esse era um ato ritual, mas também servia ao propósito prático de queimar pele morta e livrar os animais de parasitas.

De acordo com os textos irlandeses medievais, o primeiro druida a acender uma fogueira de Beltane chamava-se Mide. Suas fogueiras se espalharam por toda a Irlanda, e, com isso, atraiu o ódio invejoso de companheiros druidas. Mide respondeu cortando as línguas de seus adversários e queimando-as, privando-os de seu poder de fala e de sua habilidade de praguejar e lançar maldições sobre ele. Um festival Beltane oculto pode ser identificado na tradição mítica galesa também, pois era nessa época do ano que coisas mágicas aconteciam: foi na véspera de maio, por exemplo, que Pryderi, filho de Rhiannon e Pwyll, desapareceu do lado de sua mãe e reapareceu magicamente muito longe, na casa de Teyrnon, senhor de Gwent Iscoed.

O festival sazonal final era Lughnasadh, celebrado em agosto no Hemisfério Norte, para marcar o fim do período do verão e a colheita. Como o nome sugere, essa cerimônia de fim de verão estava associada a Lugh, o deus da luz e da habilidade artesanal, que fundou Lughnasadh para honrar sua mãe, Tailtu. Como Samhain, essa ocasião festiva era escolhida para importantes assembleias rituais e políticas nas cortes régias como Tara e Emhain Macha. Todas essas cerimônias sazonais tinham em comum sua celebração em épocas de mudança, períodos liminares que eram considerados arriscados porque, segundo a crença, toda transformação era repleta de perigos e muito influenciada por um bando caprichoso de espíritos indomados, cujo poder necessitava ser tanto venerado como contido.

Festivais equivalentes aos antigos festivais agrícolas celtas são celebrados nos tempos modernos na Grã-Bretanha e no mundo ocidental. Ainda reconhecemos o 1º de maio (Calan Mai, no País de Gales). O Festival da Colheita é um evento importante no ano da Igreja cristã. O Hallowe'en (e o Dia de Todos os Santos cristão) marca a chegada da escuridão do inverno no Hemisfério Norte e ocorre, precisamente, ao mesmo tempo que o Samhain. Talvez apenas o Imbolc não tenha sobrevivido até o presente.

• 9 •

CÉU E INFERNO: O PARAÍSO E O ALÉM-MUNDO

Deleitável é a terra para além de todos os sonhos!
Além do que vos parece muito belo –
ricos frutos abundam ao longo do brilhante ano
e flores são encontradas nas cores mais raras.

DE "OISIN E A TERRA DA ETERNA JUVENTUDE", NO *CICLO FENIANO*

Um aspecto-chave da condição humana é a necessidade de confrontar a morte e explorar questões a respeito do que nos ocorre quando morremos. A morte é o fim ou podemos esperar algum tipo de vida depois da morte? Se vivemos uma boa vida, podemos esperar uma recompensa no céu? Os maus vão para o inferno? O que são céu e inferno e onde podem ser encontrados? Mantemos, de algum modo, nossos eus físicos? Reunimo-nos com nossos amados na próxima vida? Dadas essas preocupações, é de se esperar que parte dos principais elementos dos mitos ao redor do mundo sejam descrições de Além-Mundos.

Em algumas culturas, céu e inferno estão intimamente ligados ao melhor e ao pior da vida humana. O inferno bíblico é cheio de fogo e de tormentas da chama eterna. Mas, para os nórdicos antigos, enquanto o Valholl (Valhalla), o salão de banquetes de Oðin, era quente, o inferno era o frio eterno, um lugar miserável, sombrio, separado do mundo humano pelo Rio Gioll (semelhante ao Styx da mitologia clássica). No centro das noções cristãs de céu está a promessa de intimidade com Deus. Para muitas outras tradições religiosas, uma boa vida após a morte envolve todo o melhor da experiência humana sem sua maldade.

Para os celtas, o lado positivo do Além-Mundo (que não tem dois domínios separados e contrastantes similares a um céu e um inferno)

Paul Jenkins
Um banquete gaulês, como imaginado em épocas posteriores.

era uma festa eterna, envolvendo banquetes, caça e entretenimento. O lado negativo era o potencial para encontros com espíritos inimigos e entes monstruosos, o produto dos pesadelos. Entes vivos que tinham a temeridade de penetrar o Além-Mundo enquanto ainda estavam vinculados ao mundo humano (como fizeram os heróis irlandeses Cú Chulainn e Finn) experienciaram um maior risco de encontrar algo horrível. Para os celtas, a vida após a morte exigia a retenção de um corpo físico, com seu sistema digestivo intacto. De que outro modo os mortos poderiam desfrutar de seus grandes pedaços de carne assada e de suas canecas de bebida?

De acordo com as tradições dos povos sámi, que vivem no norte da Escandinávia e na Sibéria, os mortos, segundo a crença, habitam um mundo subterrâneo, no qual caminham de cabeça para baixo nos passos dos vivos, em uma imagem-espelho da vida na Terra. Pintam uma imagem extraordinariamente atrativa da vida após a morte: corpos e vínculos diretos são mantidos com o mundo material; todavia, tudo é, literalmente, de cabeça para baixo em um universo paralelo cujas fronteiras raramente podem ser permeadas, exceto em uma direção. O único modo de esse Além-Mundo ser representado na Terra é por meio de espíritos e xamãs, e ele pode ser acessado em "fraturas" específicas: ilhas, corredeiras (*rapids*), cavernas, fissuras em rochas e pilhas de pedras, onde comunidades locais vão para fazer sacrifícios.

A visão sámi da vida após a morte, e o acesso ao mundo espiritual, tem muito em comum com crenças sobre a morte na mitologia celta. Uma combinação de evidências arqueológicas, literatura clássica e textos irlandeses e galeses do começo da Idade Média fornecem uma visão de um Além-Mundo povoado por ancestrais mortos e pelos deuses. Mesmo os pontos de acesso, nos quais os espíritos se tornariam mais acessíveis, eram similares: locais especiais na paisagem, impregnados de força espiritual. A água era chave para as percepções celtas do Além-Mundo, talvez devido às propriedades reflexivas, que fazem com que o mundo seja repetido visualmente, mas invertido, em sua superfície.

Era no Festival de Samhain, no final do inverno, que o mundo dos humanos estava mais ameaçado pelos habitantes do mundo do além: as fronteiras eram suspensas, e os espíritos podiam espreitar entre os vivos, para seu bem ou seu mal, dependendo do caráter do fantasma individual. Ora, as terríveis fúrias da batalha poderiam vagar, lavar as armas dos guerreiros em um vau (símbolo de um caminho entre mundos) e profetizar quem morreria em seguida no campo de batalha. Foi em Samhain, na época de "não ser", que heróis celtas vivos, como Finn e Cú Chulainn, foram capazes de entrar no mundo dos mortos, embora ainda vivos.

● CODIFICAÇÃO DE CORES ●

E de todos os cães que vira no mundo jamais viu cães dessa cor – eles eram de um branco brilhante reluzente, e suas orelhas eram vermelhas. E como a brancura dos cães, o vermelho de suas orelhas também brilhava.

DE "O PRIMEIRO RAMO DOS MABINOGI"

CÉU E INFERNO: O PARAÍSO E O ALÉM-MUNDO

Miranda Aldhouse-Green
Cascata em Great Langdale, Cumbria. Corredeiras e quedas d'água são consideradas pontos de acesso ao Além-Mundo.

Entes do Além-Mundo que interferiam nas vidas de pessoas vivas denunciavam sua presença por várias mensagens codificadas que eram profundamente familiares aos ouvintes de histórias míticas. Já encontramos o mais surpreendente, que eram as imagens coloridas: em especial, branco e vermelho, por vezes combinados. Tanto a Irlanda como o País de Gales possuíam tradições de animais brancos, de orelhas vermelhas, especialmente cães, que pertenciam aos deuses. Arawn, rei do Além-Mundo galês, tinha um bando de cães de caça brancos com orelhas vermelhas, que Pwyll, senhor de Arberth, encontrou no começo de Mabinogion. A alusão a essas criaturas por parte de contadores de histórias tinha o efeito imediato de enviar um frêmito de horror agradável que arrepiava seus ouvintes, que relaxavam, esperando que algo momentoso e talvez desastroso acontecesse.

Na mitologia irlandesa, javalis brancos irrompiam das regiões baixas no inocente mundo terreno e atraíam caçadores humanos para sua ruína. Em "Culhwch e Olwen", os javalis mágicos os quais o pai de Olwen ordenou que Culhwch subjugasse tinham espinhos de prata que cintilavam como aço. A temível deusa da batalha Morrígan apareceu a Cú Chulainn como uma mulher vermelha, com cabelo vermelho e sobrancelhas vermelhas, guiando uma biga puxada por um cavalo vermelho com uma perna (anormalidade "impossível", outro sinal de suas origens Além-Mundo). Em outra de suas manifestações, Morrígan apareceu a Cú Chulainn como uma novilha vermelha sem chifres. A cor dava substância a histórias escritas ou faladas; evocava imagens e enviava mensagens: o branco era a cor de ossos esbranquiçados e de cadáveres sem sangue; vermelho era a cor do sangue e dos ferimentos.

Outro exemplo de codificação visual era a variegação: listras, pintas ou manchas. Homens e mulheres sagrados vestiam roupas matizadas para significar suas nacionalidades duais: como membros dos domínios dos vivos e dos mortos. Assim estava a profetisa irlandesa Fedelma, descrita no *Táin Bó Cuailnge* como vestida com um manto matizado, quando apareceu diante da Rainha Medbh e profetizou sua derrota nas mãos de Cú Chulainn. O druida cego Mog

Ruith, que desafiou os poderes mágicos do rei de Ulster Cormac com seus próprios poderes, também vestia um manto matizado, de penas, com o qual podia voar entre os mundos.

● VIDA APÓS A MORTE ●

[Os druidas] sustentavam que a alma de um homem morto não desce ao mundo silente e sem sol do Hades, mas se torna reencarnado em outro lugar; se estiverem certos, a morte é meramente um ponto
de mudança na existência perpétua.
LUCANO, *FARSÁLIA*, I, v. 454-458.

Escritores clássicos, como César e Lucano, que descreviam os costumes dos celtas gauleses, falaram sobre suas percepções com relação ao renascimento após a morte. O testemunho desses autores pode ser interpretado de dois modos. Em um, as pessoas assumiam outros corpos físicos e reabitavam o mundo material (isso também é ensinado pelo matemático e filósofo Pitágoras, e no hinduísmo). No outro, as pessoas retinham seus corpos, mas eram rejuvenescidas em um Além-Mundo paralelo (semelhante às tradições dos sámi). As evidências arqueológicas e a literatura mítica irlandesa e galesa do começo da Idade Média se combinam para sugerir que era a segunda visão da vida após a morte que prevalecia nas cosmologias celtas.

Quando Pwyll e Arawn, senhor de Annwfn (o Além-Mundo galês), intercambiaram domínios por um ano e um dia (cf. p. 81), Arawn determinou duas injunções a Pwyll: a primeira era que ele não teria intercurso sexual com a esposa de Arawn; a segunda, que deveria matar Hafgan, o rival de Arawn no Além-Mundo. Pwyll aceitou obedecer a cada um dos comandos e, quando chegou ao reino de Arawn, encontrou uma corte brilhante, abundante em ouro, joias e seda, e com mesas repletas de comidas e bebidas suntuosas. A bela esposa de Arawn ficou perplexa e incomodada com o fato de seu "esposo" não compartilhar de seu leito, mas Pwyll se manteve fiel ao acordo.

CÉU E INFERNO: O PARAÍSO E O ALÉM-MUNDO

Parece estranho que Arawn não pudesse lutar suas próprias batalhas pela supremacia do Além-Mundo, mas nisso reside um aspecto importante dos entes de lá: eles eram fisicamente insubstanciais, fracos e careciam da energia robusta dos mortais vivos. Ao fim do período de um ano e um dia, Pwyll encontrou e assassinou Hafgan, e retornou para o seu reino terreno de Narberth, para descobrir que, de acordo com o tempo terreno, não havia ficado fora. Mas os homens de Pwyll constataram uma mudança nele desde a sua estada no mundo espiritual: admiraram-se com o quanto ele havia se tornado gracioso e generoso depois da aventura no Além-Mundo.

● O CALDEIRÃO DO RENASCIMENTO ●

Vou lhe dar um caldeirão, e a propriedade do caldeirão é que, se você jogar dentro dele um de seus homens que foi morto hoje, amanhã ele estará tão bem como nunca, exceto que não será capaz de falar.

DE "O SEGUNDO RAMO DOS MABINOGI"

Daghdha (ou "Deus Bom") era responsável pela fertilidade da Irlanda e, como tal, tinha uma série de amantes, incluindo Boann, deusa do Boyne. Ele possuía um conjunto de implementos mágicos, e dentre os mais importantes estavam um grande bastão e um caldeirão. Uma extremidade do bastão tirava a vida; a outra, a restaurava. Mas seu caldeirão representava a prosperidade eterna do país, pois era um caldeirão de regeneração, capaz de prover um constante suprimento de comida que nunca diminuía.

"O segundo ramo dos Mabinogi" conta a história de um caldeirão mágico de renascimento, pertencente a Brân o Abençoado. Ele tinha a capacidade de ressuscitar soldados mortos em batalha e deixá-los tão bem que, no dia seguinte, estavam como novos e, de fato, eram capazes de lutar ainda mais bravamente do que antes. Mas havia um lado negativo desse recipiente ressuscitador, porque os guerreiros colocados nele renasciam sem a capacidade de falar. Isso significa, efetivamente, que eram zumbis, almas não mortas que tinham sido cedidas de volta à vida terrena meramente para lutar.

A fala era altamente valorizada pelos celtas, como uma essência do que era ser humano. A oratória e a poesia eram fundações das comunidades, pois o poder das palavras era mais importante, inclusive, que o da habilidade de guerrear, e os bardos e os profetas desfrutavam do *status* mais elevado. A audiência dessa história se dava conta de que os homens renascidos no caldeirão de Brân eram mudos porque ainda pertenciam ao mundo dos mortos e, como peões da vontade divina, foram restaurados apenas brevemente para lutar.

Imaginando o caldeirão mágico

É raro que uma evidência arqueológica apareça para fornecer uma comparação direta com a mitologia. Mas, a despeito de ser produzido no século I a.C., muito antes que os mitos escritos, o Caldeirão de Gundestrup, rico de ícones, pode fazer exatamente isso (cf. também p. 28, 29, 122, 140). Um de seus painéis (imagem a seguir) mais surpreendentes retrata o que parece ser uma cena notavelmente similar à história galesa do caldeirão de Brân.

O painel consiste em um registro superior e um inferior. O friso inferior retrata uma procissão de soldados de infantaria, todos olhando para a esquerda, com exceção de um, que porta uma espada

Nationalmuseet, Dinamarca
Placa interna do caldeirão de Gundestrup, Dinamarca, retratando a restauração de guerreiros à vida em um caldeirão.

O caldeirão de Artur

A história galesa em prosa "Os espólios de Annwn" foi compilada na forma escrita no fim do século XIII e início do XIV, e fala sobre um recipiente mágico do Além-Mundo, feito de um bronze brilhante e adornado com pedras preciosas. O caldeirão era caprichoso: nunca cozinharia comida para um covarde e exigia o sopro de nove virgens para aquecer seu caldo. Típico do Além-Mundo, dava com uma "mão" e tirava com a outra. Quando Artur embarcou na expedição do roubo de um caldeirão de bronze, ele conseguiu adquirir o caldeirão, mas a maior parte de suas forças foram exauridas na tentativa. Esse recipiente era especificamente conhecido pelo termo *Peir Annwfn*, "Caldeirão do Além-Mundo".

Um caldeirão antigo, feito no século VIII a.C. e jogado no Llyn Fawr, no sul do País de Gales, junto a outro recipiente mais fragmentário e a outros tesouros, é fortemente reminiscente do *Peir Annwfn*, pois apresenta numerosos rebites convexos, muitos mais do que eram necessários para manter suas chapas de metal juntas. À noite, aceso somente pelo fogo terreno, esse outrora reluzente caldeirão de ouro vermelho brilhante teria incandescido e refletido as chamas, e os rebites teriam cintilado como diamantes. Talvez, a descoberta ao acaso, no começo dos tempos medievais, de objetos antigos como o caldeirão de Llyn Fawr possam ter inspirado contadores de histórias a tecer imagens antigas em novos mitos. Se vinham de lagos ou poças, podem muito bem ter parecido pertencer ao Além-Mundo.

National Museum of Wales, Cardiff
Caldeirão (um do par) oferecido ao espírito do lago em Llyn Fawr, por volta de 700 a.C.

e um escudo oblongo; o último (único guerreiro nesse registro com um elmo) tem uma longa espada, mas nenhum escudo. Atrás dele, há três trombeteiros, cada um portando um *carnyx*, uma longa trombeta de guerra, e, sobre cada uma de suas campânulas, há uma cabeça de javali rosnando. No extremo esquerdo da placa, o soldado de infantaria que lidera a marcha olha para um cão se erguendo e para uma enorme figura humana, com o dobro do tamanho dos soldados; ela está no ato de jogar um dos guerreiros virado para baixo em um grande tanque ou caldeirão. O registro superior retrata quatro soldados de cavalaria olhando para a direita; os cavalos marcham, de forma adestrada, para longe do caldeirão. Cada soldado de cavalaria usa um elmo ornamentado com símbolos animais. Uma serpente com cabeça de bode lidera os guerreiros montados.

É muito tentador interpretar essa cena do caldeirão de Gundestrup como análoga ao episódio do renascimento nos Mabinogion. Se isso é correto, então os homens de infantaria podem representar guerreiros mortos se alinhando para a ressurreição no caldeirão mágico de regeneração, com sua revivificação representada por seu *status* elevado como soldados de cavalaria. A cobra híbrida pode ser uma criatura xamânica de dois espíritos, cuja forma misturada retrata sua capacidade para liderar almas entre os mundos. Parece, também, que os soldados de infantaria no registro inferior estão de olhos fechados, como na morte, enquanto os olhos dos soldados de cavalaria estão abertos.

Comendo com os mortos

Sete portas havia na hospedaria de Mac Da Thó, e sete entradas e sete lareiras e sete caldeirões. Cada caldeirão continha carne bovina e carne suína salgada, e quando cada homem passava perto ele enfiava o garfo no caldeirão.

DA HISTÓRIA "O PORCO DE MAC DA THÓ", DO *CICLO DO ULSTER*

O livro das invasões irlandês descreve como a raça divina, os Tuatha Dé Danann, foram expulsos do poder pela próxima onda de invasores, os gaélicos (ou celtas). Os Tuatha Dé Danann não desapareceram

Paul Sampson/Travel/Alamy
Câmara funerária neolítica em Tinkinswood, talvez vista pelos celtas galeses antigos como a morada dos espíritos. Sul de Glamorgan, no sul do País de Gales.

completamente da Irlanda, mas deixaram o mundo dos humanos para habitar o Além-Mundo, morando em uma série de montes, ou *sídhe*, sob a terra. Assim, em vez de haver um único deus do Além-Mundo, havia muitos, e cada um possuía um *bruiden*, ou salão de banquetes. Essas hospedarias eram lugares de suntuosa hospitalidade, onde os mortos podiam comer e beber dia e noite, a bebida fluía constantemente e havia suprimentos eternos de carne de porco, porque, a cada dia, os porcos abatidos eram ressuscitados, mortos e assados novamente.

• DESPEDINDO-SE COM ESTILO: O BANQUETE FUNERÁRIO •

Embora a Gália não seja um país rico, os funerais lá são esplêndidos e caros. Tudo aquilo que se considera que o morto apreciava é colocado na pira, inclusive animais. Não faz muito que escravos e dependentes considerados os favoritos de seus senhores eram queimados com eles no fim do funeral.
JÚLIO CÉSAR, *DE BELLO GALLICO*, 6.19.

A forte mensagem dos mitos é a crença em uma vida tangível após a morte, uma vida depois da morte que espelha tudo o que era bom na vida terrena. Algumas práticas funerárias na Idade do Ferro na Grã-Bretanha e no continente próximo exibem referência arqueológica clara da centralidade do banquete no encaminhamento dos mortos. De modo algum universal através do tempo ou de áreas geográficas, há, contudo, uma tendência persistente de ritual envolvendo pompa, cerimônia e refeição comunitária, ainda que reservado para os ricos e poderosos na comunidade.

Assim, o que esse consumo conspícuo de fato significa? A presença de utensílios para comer e beber e os restos de carne despedaçada simplesmente representam um adeus alegre dos parentes e amigos do morto consumindo suas "carnes assadas"? Ou essas evidências materiais de banquetes da morte têm um significado mais profundo, em termos de reconhecimento de uma vida após a morte? O papel do banquete funerário era partilhar uma refeição, não apenas entre os parentes e amigos do morto, mas também com os deuses? A provisão de comida e bebida era vista como necessária para a pessoa morta ser bem-vinda no Além-Mundo Feliz? O ato de colocar comida em túmulos é, provavelmente, multifacetado, mas, sobretudo, representava uma crença poderosa em algum tipo de existência além-túmulo, por um lado, e, por outro, um reconhecimento da necessidade de apaziguar os guardiões espirituais do Além-Mundo.

● MORTES HEROICAS ●

Para os celtiberianos, a morte em batalha é gloriosa; e eles consideram um crime cremar o corpo de um guerreiro desses; pois eles acreditam que a alma sobe para os deuses no céu, se o corpo é devorado no campo pelo faminto abutre.
Sílio Itálico, *Púnica*, III, v. 342-348.

Dois escritores romanos – Eliano e Sílio Itálico – comentaram um rito curioso praticado pelos celtiberianos no nordeste da Espanha. Os corpos de guerreiros nobres mortos em batalha recebiam a

Um funeral britânico nobre

Em 1965, escavadores da vala de um gasoduto para o desenvolvimento de um novo conjunto habitacional na cidade de Welwyn Garden, no sudeste da Inglaterra, depararam-se com um rico túmulo de 2 mil anos. Ele pertencia a alguém do *status* mais elevado da sociedade britânica do fim da Idade do Ferro, que morreu no fim do século I a.C. Embora alguns dos pertences do túmulo tivessem sido esmagados pelas modernas escavadeiras, sobrou o bastante para permitir que os arqueólogos juntassem tudo e fizessem uma reconstrução do túmulo. Diante de uma parede havia seis grandes ânforas de vinho mediterrâneas, presumidamente, outrora cheias até a borda. Sobre o chão havia 36 belos potes de cerâmica, na maior parte produzidos localmente, mas incluindo dois pratos e uma garrafa de vinho importado da Gália. Junto à parafernália de vinho havia um cálice de prata e um coador para captar o sedimento do pesado vinho tinto italiano.

O cadáver havia sido enrolado em uma pele de urso antes de ser cremado, pois havia patas queimadas no túmulo. Próximo aos restos humanos, havia um conjunto de 24 soberbas peças de vidro para usar em um jogo de tabuleiro. Uma analogia possível é com o jogo funerário egípcio antigo de *senet*: a presença dessas peças podia representar um jogo entre a pessoa morta e os espíritos do Além-Mundo. Talvez, o morto tivesse de vencer, a fim de obter acesso à vida depois da morte.

The Trustees of the British Museum, Londres
Enterro nobre do fim da Idade do Ferro, com utensílios de banquete, em Welwyn, Hertfordshire.

escarnação (exposição do cadáver ao ar livre), a fim de que sua carne fosse consumida por abutres. Acreditava-se que esses pássaros eram sagrados para o deus celestial e que, desse modo, as almas dos valentes seriam transportadas para os deuses no céu.

Em seus poemas épicos *Ilíada* e *Eneida*, Homero e Virgílio descreveram os costumes funerários dos gregos e troianos antigos e os ritos concedidos àqueles que haviam morrido bravamente em batalha. O encaminhamento dos corpos desses heróis era por cremação em grandes piras funerárias, de modo que os restos subissem aos céus e se juntassem aos deuses. Analogias com esses rituais funerários podem ser identificadas entre os bretões próximo à época da conquista romana. Em cerca de 50 d.C., um chefe tribal morreu em Verulâmio (Saint Albans). Ele foi velado publicamente por um tempo; foi colocado em uma pira funerária, junto a vários de seus pertences, e cremado. Seus restos foram, depois, colocados em uma tumba cercada por um recinto, em cuja entrada os corpos de duas mulheres foram enterrados, talvez como guardiãs espirituais do homem morto. O local funerário, em Folly Lane, ao norte da cidade romana da Idade do Ferro, permaneceu um ponto fulcral ao longo do período romano, como se a memória desse nobre bretão, como um tipo de deus ancestral benevolente, de algum modo, abrangesse a própria essência do lugar.

Outros funerais distintos do fim da Idade do Ferro na Grã-Bretanha podem fornecer uma janela para os sistemas de crenças infernais entre os celtas antigos. Um é de especial interesse, primeiro porque o "herói" morto era uma mulher e, segundo, porque os pertences do túmulo e o próprio corpo transmitem uma mensagem potente associada à cor vermelha, tão importante no simbolismo do Além-Mundo da mitologia celta. O funeral da mulher foi em Wetwang, no leste de Yorkshire. Quando morreu, com cerca de 35 anos, foi enterrada com uma biga cerimonial de duas rodas que pode ter sido usada por ela em batalhas, a qual foi colocada invertida sobre seu corpo. Parentes e amigos presentes no funeral teriam deixado pedaços de carne de porco sobre seu dorso e um espelho sobre suas canelas.

CÉU E INFERNO: O PARAÍSO E O ALÉM-MUNDO

Até aqui, o funeral se enquadra muito bem em uma série de funerais com biga dessa parte do nordeste da Inglaterra. Mas os pertences do túmulo, incluindo os acessórios de montaria e seu adorno de cabeça, mostravam uma preponderância única do vermelho coral, importado do Mediterrâneo. Além disso, evidências forenses de ossos faciais distorcidos revelaram que essa mulher havia vivido desfigurada por um tumor vermelho brilhante próximo ao seu nariz. Longe de ser evitada, a aflição dessa mulher talvez a tenha marcado como especial, e a riqueza de seu funeral pode indicar um *status* elevado. Talvez essa "senhora vermelha" tivesse desfrutado de um *status* particular porque a considerassem emanada do Além-Mundo.

• A VIDA NO ALÉM-MUNDO •

Quando Arawn levou Pwyll ao seu reino de Annwfn no Além-mundo, o acesso pareceu fácil, sem barreiras especiais ou portais para serem transpostos. Na verdade, Arawn garantiu a Pwyll que ele não encontraria obstáculo algum em seu reino. Mitos irlandeses revelam outras percepções sobre como o mundo dos espíritos poderia ser acessado. A água – os lagos ou o oceano – fornece pontos de acesso, assim como cavernas que levam ao subterrâneo e montes funerários antigos, como Newgrange. Algumas ilhas eram consideradas lugares do Além--Mundo. O lar de Manannán, o deus do mar, era a mística Ilha de Man.

A história *A viagem de Bran*, do século VII, conta uma jornada feita por Bran e seus seguidores à Terra das Mulheres, a Ilha das Macieiras, uma manifestação do Além-Mundo Feliz, após ter sido atraído para lá por uma de suas belas deusas. A história é um exemplo da natureza ambígua desse mundo além-túmulo. Era um espaço atemporal, eterno, no qual Bran e seus homens habitaram satisfeitos por um tempo, mas, então, alguns de seus seguidores ficaram com saudades de casa e quiseram voltar para a Irlanda. As mulheres da ilha os alertaram para não tocarem a terra, mas, quando se aproximaram da praia, um dos membros do bando, mais ávido por retornar para casa do que os outros, pulou do barco e nadou em direção à praia. Tão logo seus pés tocaram a areia, desintegrou-se, tendo envelhecido instantaneamente trezentos anos.

Tom Bean/Corbis
Clochans ("cabanas-colmeia" de pedras encaixadas) situadas em Skelig Michael, uma ilha remota a mais de 12 quilômetros da costa do sudoeste da Irlanda.

Esse Além-Mundo era a Ilha da Eterna Juventude (Tir na n'Og), mas o encantamento deixava de funcionar se os humanos retornassem ao seu próprio mundo temporal. O nome Avalon, o lendário túmulo insular do rei Artur, significa "Ilha da Macieira". De acordo com os romances arturianos franceses medievais, como a história do Santo Graal, Avalon estava situada em Glastonbury, uma "ilha" no meio dos alagadiços, baixos e ricos em macieiras Somerset Levels.

Outras lendas também relatam encontros entre pessoas vivas e o Além-Mundo. Uma dessas histórias é sobre um homem chamado Nera, que vivia em Connacht quando a Rainha Medbh e seu consorte Ailill estavam no poder. Nera se desviou para o Além-Mundo por um ponto de acesso na Caverna de Cruachain, uma fissura natural em um afloramento de pedra calcária no Condado de Roscommon, mas identificado no mito como um *sídh*. Isso ocorreu no Samhain, o festival de outono entre o ano velho e o novo, quando os limites entre os mundos humano e espiritual se tornavam porosos.

Embora um mortal vivo e um invasor na terra dos deuses, Nera foi autorizado a permanecer e, inclusive, a se casar com uma deusa do *sídh*. Ela profetizou que a corte régia de Cruachain, de Medbh, seria destruída pelo fogo, a menos que o próprio *sídh* fosse devastado primeiro. Nera retornou ao mundo terreno no inverno para avisar Medbh, carregando plantas não sazonais de verão – prímula, alho e samambaia-dourada –, a fim de provar ao seu povo que vinha do Além-Mundo, onde o tempo era diferente daquele na Terra. As forças de Connacht invadiram e saquearam o *sídh*, levando consigo grandes tesouros, mas Nera permaneceu com a esposa e a família, jamais retornando ao mundo dos humanos.

● ABAIXO ENTRE OS MORTOS ●

J.R.R. Tolkien, em *O senhor dos anéis*, pinta várias imagens maravilhosas dos mortos. Talvez a mais surpreendente seja a jornada de Sam e Frodo através dos Pântanos Mortos em seu caminho para Mordor, guiados pelo corrupto Golum, outrora um hobbit. Essa área pantanosa desolada é iluminada por chamas de fogo-fátuo. Sob a superfície do pantanal estagnado, eles podem ver os corpos daqueles que morreram na batalha com forças do mal, perfeitamente preservados, com suas faces pálidas parecendo que estavam apenas dormindo. Nos filmes, Frodo se desvia do caminho e cai na água, parecendo se juntar ao mundo dos mortos, que estão ávidos por mantê-lo em seu reino sob a superfície.

As imagens de Tolkien aqui ressoam com os achados arqueológicos de múmias de pântano, restos de humanos que foram por alguma razão colocados em charcos durante a Idade do Ferro e o período romano na Grã-Bretanha, na Irlanda e em outras partes do norte da Europa, onde pântanos elevados se formaram. Muitas dessas antigas múmias de pântano mostram sinais de morte violenta e prematura, às vezes por estrangulamento ou enforcamento. O motivo pelo qual alguns indivíduos foram escolhidos para serem sepultados desse modo permanece um mistério, mas deve ter algo a ver com o desejo de interromper o processo normal de

> ### Oisin e a Terra da Eterna Juventude
>
> A traição do Além-Mundo é mostrada em uma história do Ciclo Feniano altamente reminiscente de *A viagem de Bran*. Finn, o chefe tribal feniano, tinha um filho, Oisin ("Cervo Jovem"). Um dia, enquanto caçava, o exército de Finn, os Fianna, encontrou uma jovem chamada Niav. Oisin se apaixonou por ela, que o atraiu para seu reino, o Além-Mundo Feliz, um lugar de juventude perpétua. Enquanto morou ali, o tempo parou, mas, com o tempo, começou a ficar com saudades de casa.
>
> Niav, relutantemente, deu-lhe permissão para visitar a Irlanda uma última vez, mas o alertou para jamais tocar sua terra natal com parte alguma de seu corpo. Ela lhe emprestou seu cavalo branco, mas, quando Oisin chegou à Irlanda, viu que centenas de anos haviam passado, não deixando qualquer traço dos Fianna. De tão chocado que ficou, freou o cavalo; ao fazer isso, a sela se rompeu, jogando Oisin na praia, onde a extrema idade o alcançou e ele se desintegrou.
>
>
>
> Musée Historique et Archéologique, Orléans
> Cervo de bronze do fim da Idade do Ferro de Neuvy-en-Sullias, Loiret, França.

decomposição corporal e, talvez, portanto, "congelá-lo" a meio caminho entre o mundo material e o além.

Devido a alguma conduta ou *status* durante a vida, talvez parecesse importante que a pessoa não se tornasse um espírito ancestral. Podia ser por uma razão negativa – o espírito do morto era muito perigoso para ficar solto na vida após a morte – ou positiva, como a necessidade percebida de manter o indivíduo "disponível" para continuar ajudando a comunidade viva, talvez porque ele ou ela tivesse sido um intermediário poderoso e útil, capaz de conectar o mundo dos humanos com o dos deuses.

Duas múmias de pântano irlandesas são de homens que morreram cerca de 300 a.C. e foram descobertos em 2003 por trabalhadores de turfeiras no Condado de Offaly e no Condado de Meath. A inferência de que fossem pessoas especiais se baseia em suas características físicas e os lugares de descoberta em locações identificadas como limites de terras medievais (que podem ter tido origens muito anteriores). Um deles, o Homem de Oldcroghan, era enorme, com 1,91cm de altura e estrutura compatível; seu *status* é sugerido por sua peculiar braçadeira de couro trançado, decorada com adornos de metal. O segundo, o Homem de Clonycavan, era de constituição delicada e muito baixo. A característica que o tornava distintivo era o arranjo de seu longo cabelo em um estilo complexo no topo da cabeça, mantido no lugar por um tipo de gel de cabelo feito de gordura animal e resina de pinho importada do sul da França ou da Espanha. Esse deve ter sido um cosmético caro e outorgava ou reconhecia o *status* do Homem de Clonycavan. A presença de parasitas no cabelo indica que ele o manteve no alto e com gel por algum tempo antes da morte, de modo que o estilo elaborado não fazia parte de um ritual de vestimenta de cadáver.

Ambos os indivíduos foram submetidos a ferimentos contínuos e brutais, que terminaram levando a mortes horríveis. Os braços de Oldcroghan foram penetrados por cordas de aveleiras trançadas; seus mamilos foram cortados assim que morreu; finalmente, foi decapitado e cortado ao meio. Clonycavan foi eviscerado e sofreu uma série de golpes frenéticos de machado na cabeça. Esses homens devem ter ocupado um lugar especial na vida e experienciaram mortes especiais. Seu enterro em pântanos em fronteiras pode indicar que foram cuidadosamente colocados em lugares considerados portais para o Além-Mundo. Eles podem ter sido sacrificados devido a crimes ou violação de tabus, ou simplesmente porque eram pessoas especiais – inclusive xamãs –, perigosas demais (e, talvez, muito valiosas) para terem direito a uma morte e um enterro normais.

O homem de Lindow

Em agosto de 1984, uma escavadeira mecânica de cortadores de turfas trabalhando em Lindow Moss, em Cheshire, descobriu o braço de um homem, parte de um corpo de pântano de 2 mil anos. Os restos eram de um jovem em seu auge, com cerca de 25 anos. Ele estava nu, exceto por um bracelete feito de pele de raposa, e nenhum pertence o acompanhava. O visco em seu conteúdo estomacal revelava que havia comido uma "última refeição" especial. Como as vítimas irlandesas, esse homem sofreu ferimentos horríveis que o levaram à morte: os mais significativos foram ao menos dois golpes na cabeça, que racharam seu crânio e o atordoaram; em seguida, foi estrangulado e, ao mesmo tempo, teve a garganta cortada.

A tripla forma de sua morte levou alguns a conectá-lo ao mito medieval antigo do triplo ritual de morte, que ocorreu a alguns reis irlandeses. Um desses foi o de Diarmaid mac Cerbhaill, no século VI d.C., que perguntou aos sábios a forma de sua morte. A resposta foi que seria esfaqueado, afogado em um tanque de cerveja e cremado. Diarmaid zombou da profecia, mas ela se concretizou. O homem de Lindow foi selecionado para uma morte e um enterro especiais. Era importante que seu corpo fosse congelado no tempo, impedido de se decompor, de modo que os ritos de morte normais e o facilitamento da passagem para a próxima vida lhe foram negados. Sua jornada para o Além-Mundo foi interrompida no portal que levava para fora do mundo dos humanos.

The Trustees of the British Museum, Londres
Homem de Lindow, múmia do fim da Idade do Ferro encontrada em um pântano em Lindow Moss, Cheshire.

• A AMBIGUIDADE DO ALÉM-MUNDO CELTA •

Não é fácil compreender o conceito do mundo dos mortos celta. Como quimera, as imagens da vida após a morte parecem constantemente mudar, de acordo com que tipo de evidências é considerado. O Além-Mundo poderia ser acima, no céu; abaixo, sob o chão; em uma caverna; ou em uma ilha. Diferentemente do mundo dos humanos, o tempo terreno não tem significado aqui. A literatura mítica apresenta um Além-Mundo caprichoso, instável, que era tanto maravilhoso quanto horrível. Na tradição irlandesa, os espíritos interfeririam constantemente na vida dos humanos, para o bem ou para o mal, dependendo de seu capricho. Entradas para o Além-Mundo eram lugares liminares, repletos de perigos e ameaças. Mas, ao mesmo tempo, a vida após a morte é apresentada como uma terra maravilhosa, cheia de tesouros e banquetes suntuosos, onde ninguém envelhece. Os mitos galeses pintam uma história similar, embora muito mais silenciosa.

Tanto na Irlanda quanto no País de Gales, o Além-Mundo era desconfortavelmente próximo à vida terrena. Portentos e símbolos mágicos proclamavam sua proximidade às pessoas vivas. Acima de tudo, porém, ambas as tradições medievais continham apenas narrativas sobre famílias nobres e suas experiências com o mundo espiritual. Para apoio de evidências arqueológicas, é necessário consultar a cultura material da Idade do Ferro pré-romana, e isso, é claro, apresenta problemas de cronologia. Será que podemos assumir que o fato de que caldeirões antigos eram depositados em água tem alguma relevância para a natureza dos caldeirões mágicos de renascimento que espreitam nas mitologias irlandesa e galesa? Será que as evidências abundantes de banquetes funerários em túmulos de ricos da Idade do Ferro têm quaisquer conexões com os banquetes dos *sídhe* irlandeses? Se as ligações têm uma validade genuína, como as tradições do fim do século I a.C. chegaram aos contadores de histórias e escribas monásticos de tempos medievais? Como o próprio Além-Mundo, esses são temas instáveis, e as respostas definitivas podem nunca ser encontradas.

• FIM •

PAGANISMO E CRISTIANISMO: A TRANSFORMAÇÃO DO MITO

Essa é a penitência de um druida ou de um homem cruel
dedicado ao mal, ou de um satirista, ou de um concubino, ou de
um herético, ou de um adúltero, ou seja, sete anos a pão e água.
DE UM PENITENTE IRLANDÊS DO SÉCULO VII

O *Altram Tige dá Medar* é um texto irlandês do fim da Idade Média que registra um questionamento direto do paganismo pela fé cristã. Oenghus, deus dos amantes, e Manannán, deusa do mar, pertencem à raça divina dos Tuatha Dé Danann. Mas, no texto, ambos os deuses admitem que o Deus cristão possui poderes muito maiores do que quaisquer divindades pagãs irlandesas.

Já no século VII d.C., histórias escritas irlandesas continham justaposições entre paganismo e cristianismo, nas quais o segundo, inevitavelmente, triunfava. Brígida era tanto uma deusa como uma santa cristã. Em sua *persona* pagã, pertencia aos Tuatha Dé Danann, e era tanto uma deidade única quanto tripla. Possuía uma ampla gama de funções, incluindo trabalho artesanal, cura (especialmente, em relação às mulheres no parto) e poesia; ela também era patrona dos laticínios e da fermentação de cerveja. Seu festival era em Imbolc, quando o nascimento de novos cordeiros era celebrado.

Eu sou impuro, mas aquela garota está repleta de Espírito Santo.
Contudo, ela não aceita minha comida.
DE *VIDA DE BRÍGIDA*

Brígida era um raro exemplo de uma deusa celta que existe também como uma santa cristã. No século VII d.C., um monge chamado Cogitosus escreve uma biografia de Sta. Brígida em latim, a *Vita*

Brígidae (*Vida de Brígida*). Essa mulher sagrada, segundo a crença, foi a madre superiora fundadora de um mosteiro cristão em Kildare no século V ou VI, mas ela pode pertencer à lenda, e não à realidade. O tratamento de Brígida nos textos antigos exibe um maravilhoso amálgama de elementos pagãos e cristãos que representa a tensão quando os dois sistemas se confrontam. Brígida foi criada na casa de um druida, e, como não podia suportar a comida que ele lhe dava, porque havia sido tocada por uma mão pagã, ela era alimentada com o leite de uma vaca branca de orelhas vermelhas – com suas cores proclamando-a como pertencendo ao Além-Mundo pagão. O pai adotivo druida de Brígida reconhecia sua pureza e seu entusiasmo em relação à religião cristã. Ele, inclusive, escolhera seu nome (o de uma deusa irlandesa) em homenagem a três monges cristãos que apareceram a ele em um sonho e o instruíram a chamá-la Brígida. Mas, mesmo como uma mulher sagrada cristã, ela retinha parte de suas responsabilidades pagãs, especialmente fazer manteiga e cerveja.

Enquanto a história de Brígida apresenta a adoção do cristianismo em detrimento do paganismo como uma transição pacífica e praticamente inconsútil, o mesmo, certamente, não acontece, para as fontes do século VII, com a vida de São Patrício, que recebeu o crédito de ter convertido a Irlanda ao cristianismo em 432 d.C. Suas histórias são repletas de episódios de conflito entre pagãos e cristãos. Em particular, Patrício tem o crédito de ter desafiado a supremacia e os poderes mágicos dos druidas da corte, conselheiros do rei, que se ressentiram da dispensa desdenhosa de suas habilidades espirituais. Uma história especialmente poderosa diz respeito à rixa do santo cristão com Lucat, o druida do Rei Loeghaire. Ele tentou envenenar o vinho de Patrício em Tara, durante um grande festival religioso pagão, e, quando fracassou, desafiou Patrício a uma prova de fogo, à qual este venceu. Loeghaire foi convencido do poder superior de Patrício e se converteu ao cristianismo.

As evidências escritas para Brígida e Patrício são testamentos literários da interface de cristianismo e paganismo em meados do

PAGANISMO E CRISTIANISMO: A TRANSFORMAÇÃO DO MITO

Irish Tourist Board
Janela com vitral do século XIX, retratando Santa Brígida, em Ballylynan, Condado de Laois, Irlanda.

primeiro milênio d.C., representado por druidas e santos. Mas outras evidências também apontam para conexões entre antigos sistemas religiosos politeístas e o novo monoteísmo. A natureza trinitária do cristianismo – o Pai, o Filho e o Espírito Santo – ressoa bem com o triadismo estabelecido do paganismo celta. Os mitos (e os símbolos de culto anteriores) são abundantes de imagens triplas, de modo que a triplicidade era um conceito confortável e familiar que poderia ser usado por missionários cristãos para conquistar a mente pagã.

A transição entre paganismo e cristianismo pode ser mapeada não somente na literatura, mas também na arte. Há uma escultura de pedra do século XIX na catedral de Llandaff, Cardiff, que retrata uma cabeça tripla, símbolo da Trindade, que poderia, perfeitamente, ser vista como uma imagem de uma cabeça tripla mítica pagã. A ideia de usar aspectos da crença pagã como canais na conversão pode ser vista nas evidências arqueológicas pertencentes ao período constantiniano do século IV d.C. Em 1975, uma pilha de placas da igreja cristã antiga foi descoberta por um detector de metais na cidade romana de Durobrivae, em Cambridgeshire. Entre as peças estavam placas em formato de pena, objetos votivos familiares depositados em santuários romano-britânicos. Mas esses eram decorados em ouro com o monograma Chi-Rho, um símbolo criado com as duas primeiras letras da palavra Cristo. Claramente, esses objetos foram usados de forma cuidadosa para reempacotar o simbolismo de um antigo sistema de fé para conquistar os corações e as mentes para o novo.

A cabeça humana é outro tema persistente nos mitos e nas imagens pré-cristãs. Mas artistas cristãos antigos também eram fascinados por esse ícone religioso. Cabeças de tamanho exagerado aparecem em cruzes irlandesas dos séculos VII e IX, como aquelas dos Apóstolos agrupados em torno da base da Cruz de Moone, no Condado de Kildare, e a de Cristo na placa de crucificação contemporânea de Rinnegan, próximo a Athlone. Talvez a peça mais evocativa da arte celta cristã seja um dos manuscritos decorados, a maravilhosa página Chi-Rho, do *Livro de Kells*, do fim do século VIII e início do século IX. A página é coberta de padrões, incluindo inúmeros trísceles (uma espiral de três braços adorada pelos forjadores na Irlanda e no País de Gales na Idade do Ferro). Mas, dominando a página, está uma cabeça humana desincorporada.

Quando o Imperador Constantino[2] declarou o cristianismo como a religião estatal de Roma, no começo do século IV d.C., o paganismo – fosse celta ou romano –, certamente, não desapareceu

---

2. Nota do editor brasileiro: Constantino apenas admitiu o cristianismo entre as religiões permitidas pelo Império Romano. Foi Teodósio quem o oficializou como religião de Estado.

da noite para o dia, mas continuou por séculos. Os mitos celtas, compilados por escritos de monges, mas extraídos do repertório oral muito anterior de contadores de histórias, salvaguardou uma tradição pagã que, a despeito de ser manipulada por seus escribas cristãos, examinou profundamente seu passado. Alguns dos monges responsáveis por registrar os mitos podem, inclusive, ter provindo do meio da contação oral de histórias. Se esse foi ou não o caso, e a despeito do verniz cristão que pode, algumas vezes, ser observado, os mitos vernaculares da Irlanda e do País de Gales foram preservados para registrar ou criar uma rica e colorida tapeçaria de deuses antigos, criaturas sobrenaturais, encantamentos e histórias de interferência constante dos espíritos nos assuntos humanos. O poder da tradição mítica pagã continuou a se manifestar por séculos após o cristianismo ter se tornado lugar-comum nas terras celtas, e de modo algum foi obliterado pela nova fé monoteísta: as pessoas vivendo no primeiro milênio d.C. podem muito bem ter sido cristãs públicas e pagãs privadas.

• LEITURA COMPLEMENTAR •

Geral e traduções para o inglês:
DAVIES, S. *The Mabinogion. The great medieval celtic tales*. Oxford: OUP, 2007.
DELANEY, F. *Legends of the Celts*. Londres: Hodder & Stoughton, 1989.
GANTZ, J. *Early Irish myths and sagas*. Londres: Penguin Classics, 1981.
GREEN, M.J. *Dictionary of Celtic Myth and Legend*. Londres e Nova York: Thames and Hudson, 1992.
GREEN, M.J. *Celtic Myths*. Londres: Britith Museum Press, 1993.
GREEN, M.J. (ed.). *The Celtic World*. Londres e Nova York: Routledge, 1995.
GREEN, M.J.; HOWELL, R. *Pocket guide to Celtic wales*. Cardiff: University of Wales Press, 2000.
JAMES, S. *Exploring the world of the Celts*. Londres e Nova York: Thames & Hudson, 1993.
KINSELLA, T. *The Táin*. Oxford: Oxford University Press, 1969.
MAC CANA, P. *Celtic Mythology*. Feltham: Littlehampton, 1983.
O'FAOLAIN, E. *Irish Sagas and Folk-Tales*. Oxford: Oxford University Press, 1954.

Druidas:
ALDHOUSE-GREEN, M.J. *Caesar's druids*. New Haven e Londres: Yale University Press, 2010.

CHADWICK, N. *The druids*. 2. ed. Cardiff: Cardiff University of Wales Press, 1997.
CUNLIFFE, B. *Druids. A very short introduction*. Oxford: Oxford University Press, 2010.
FITZPATRICK, A.P. *Who were the druids?* Londres: Weidenfeld & Nicolson, 1997.
GREEN, M.J. *Exploring the world of the druids*. Londres e Nova York: Thames & Hudson, 1997.

Arqueologia:
BRUNAUX, J.-L. *The Celtic gauls: Gods, rites and sanctuaries*. Trad. D. Nash. Londres: Seaby, 1988.
GREEN, M.J. *The gods of the Celts*. Stroud: Sutton, 1986.
RAFTERY, B. *Pagan Celtic Ireland: the enigma of the Irish Iron Age*. Londres e Nova York: Thames and Hudson, 1994.

Debate celta:
COLLIS, J. *The Celts: Origins, myths, inventions*. Stroud: History Press, 2003.
JAMES, S. *The Atlantic Celts – Ancient people or modern invention?* Londres: University of Wisconsin Press, 1999.

• FONTES DE CITAÇÕES •

Os volumes não incluídos anteriormente são os seguintes:
JÚLIO CÉSAR. *The Battle for Gaul*. Trad. A. Wiseman; P. Wiseman. Londres: Book Club Associates, 1980.
CALDECOTT, M. *Women in Celtic myth*. Londres: Destiny Books, 1988.
CARSON, C. *The Tain: A new translation of the Táin Bó Cúailnge*. Londres: Viking USA, 2008.
CÍCERO. *De divinatione*. Trad. W. Falconer. Londres: W. Heinemann, 1922.
ESJÖBLOM, T. "Advice from a Birdman: Ritual Injunctions and Royal Instruction in TBDD". *In*: AHLQVIST, A. *et al.* (ed.).

Celtica Helsingensia, Helsinki: Societas Scientiarum Fennica, 1996, p. 233-251.
GERALDO DE GALES (GIRALDUS CAMBRENSIS). *The journey through Wales*. Trad. L. Thorpe. Harmondsworth: Penguin Classics, 1978.
HARRISON, G.B. (ed.). *Macbeth: The Penguin Shakespeare*. Harmondsworth: Penguin Books, 1937.
HENNESSEY, W.M. The ancient Irish goddess of war. *Revue Celtique*, 1, 1870-1872.
MARCO ANEU LUCANO. *Pharsalia*. Trad. R. Graves. Harmondsworth, 1956.
MINAHANE, J. *The christian druids – On the filid or philosopher-poets of Ireland*,. Dublin: Sanas Press, 1993.

FONTES DE CITAÇÕES

ANÔNIMO. *Navigatio Brendani: The voyage of Saint Brendan*. Trad. J.F. Webb. Harmondsworth: Penguin Classics, 1965.

O'FAOLÁIN, E. *Irish sagas and folk tales*. Dublin: Dufour Editions, 1986.

ROSS, A. *Pagan Celtic Britain: Studies in iconography and tradition*. Londres: Routledge & Kegan Paul, 1967.

SÍLIO ITÁLICO, T.C.A. *Punica*. Trad. E. Duff. Londres: Loeb Classical Library, 1949.

STOKES, W. *Coir Anman*. Leipzig, 1897.

THE MABINOGION. Trad. G. Jones; T. Jones. Londres: Dent, 1974.

TIERNEY, J.J. The Celtic ethnography of Posidonius. *Proceedings of the Royal Irish Academy*, 60, p. 247-275.

YEATS, W.B. *Selected poems*. Ed. T. Webb. Londres: Penguin Classics, 2000.

WINTERBOTTOM, M. *The ruin of Britain and other works*. Londres: Phillimore, 1978.

• ÍNDICE •

Números de páginas em itálico se referem a ilustrações.

Afagddu 27, 119

água, mitos da 161-164

Águia de Gwernabwy 120

Ailill 141

álcool 99-100

Altram Tige dá Medar 197

Amiano Marcelino, *Histórias* 138

Andrasta 151-152, 160

Annwfn 47, 77

Apollo Cunomaglus 107

Arawn 47, 77, 80, 81, 85, 180, 181-182

Ardagh, cálice de *89*

Arianrhod 80, 84, 85-86, 135, 137, 150

Artur (rei) 19, 39, 52, 80, 93, 95, 95-97, 130, 191

Artur, caldeirão de 184

Arturianos, romances 90, 93

árvores, simbolismo das 156-161

Ateneu 98

Avalon 191

Badbh 30, 46, 53, 62, 104, 110, 112, 117, 124, 139

Banbha 30, 76

Beltane 83, 173

Bleiddwn 118

Blodeuwedd 77, 80, 86, 135-137, 140, 150, 151, 159-160

Boann 53, 62, 63, 119, 162

Borges, Jorge Luis, *O livro dos entes imaginários* 22

Boudica 151-152

Brân (o Abençoado) 30, 33, 77, 78, 80, 91-92, 103, 149, 182-183, 190

Branwen 26, 30, 77, 78, 79, 80, 91-92, 149

Brígida, Santa 197-198

bruxas 139

Buchanan, George 12

cabeças, mitos associados com 33-34

Caer Ibormeith ("Fruto do Teixo") 69-70, 153, 164

Caerleon, País de Gales 50, 52, 93, 95, 96, *97*

cães e caçada 107

caldeirão, mitos 25-30, 182-185

Camlann, Batalha de 96

Capela de Garmon, protetor de lareira da 133-134, *134*

Cathbad, o druida 45, 73, 110

Cei 120

Celta, arte 24-25

"cerco de Druim Damghaire, O" 126

"Ceridwen, caldeirão de" 27, 119

Cernunnos 137

César, Júlio 44, 181

  De Bello Gallico 10, 38, 40, 186

Cesair 59

Chrétien de Troyes 19, 90, 93, 96

Cícero, *De Divinatione* 42

cisnes, simbolismo dos 72

Clonycavan, Homem de 194

Cogitosus (monge) 197

Coligny, Calendário de 12, 174

Columbano (monge) 49-50

Conaire Mór 35-37, 101, 126, 139, 146, 171

Conall Cernach 33

Conchobar 45, 73-74, 104, 105, 141

Constantino, imperador 48, 200

Corlea, pontilhão, Irlanda 16-17

Corleck, Condado de Cavan 31-32

Cormac, rei de Ulster 126, 181

cortejo de Etáin, O 16-17, 70

Coventina 53

Creidhne 30

cristianismo

  e arte celta 24-25

  e histórias de Artur 95

ÍNDICE

e mitologia pagã 65, 79, 164, 197-201
e os druidas 44
e registro escrito dos mitos 48-49, 53-57, 61
e simbolismo da tigela 88-90
Cruachain, Caverna de 191
Crunnchu 144
Cú Chulainn 18, 30, 45, 46, 93, 103, 104, 105-112, 115, 144, 145, 180
Culann o Forjador 106
Culhwch 80, 119-120, 129-130
"Culhwch e Olwen" 19, 73, 77, 96, 116, 119, 129, 180
cyfarwydd (contadores de histórias) 21-22

Daghdha 26, 60, 61, 62-63, 162, 182
Danu (Anu) 59, 61, 62, 76, 165, 168
Deirdre das Tristezas 45, *45*, 73-76
Dian Cécht 61, 62, 64, 68
Dião Cássio 151
Diarmaid 74-76
Diarmaid mac Cerbhaill 195
Dinnshenchas (A história dos lugares) 58
Diodoro Sículo 43-44, 98
Diviciaco o Druida 42-43
Donn (Touro Marrom de Ulster) 104, 131, 140-141
druidas 14, 38, 40-45, 157-159, 158, 175, 198
Dyfed 77

Efnisien 92
Efrog, Earl 93
Eisteddfod 56
Eliano 187
Emhain Macha 74, 142-143, 159
Eochaid 16-17
Epona 53, 54-55, *55*, 78, *115*
Ériu 30, 61, 62, 76, 165
"espólios de Annwfn, Os" 19, 77
Estrabão 43
Étain 16-17, 70-71
Eurípides, *As bacantes* 138, 141

Fedelma 104, 110, 145-146, 180
Feniano, Ciclo (de Finn) 18, 58, 73, 119, 161, 176, 193

Fer Diad 34
Ferghus mac Roich 74
filidh 44
Finn 19, 76-76, 119, 193
Finnbhennach (Touro de Connacht) 104, 131
Finnegas 119
Fir Bholg 67
Fódla 30, 76
Fomorianos (*Fomhoire*) 59, 61, 67-68, 161
Fuamnach 70
funerais, ritos 187-190

Genii Cucullati 31
Geraldo de Gales (Giraldus Cambrensis) 49, 50, 167
gessa/geis (maldições/proibições) 35-36, 37, 106, 127, 139, 146
Gildas, o monge 48, 49
Gilfaethwy 30, 77, 85, 117-118, 135
Glastonbury, Somerset 96, 191
Goewin 84-85, 117, 135
Gofannon 78, 80
Goibhniu 30, 61, 62, 78
Gorsedd Arberth 54, 77, 81, 87
Gráinne 73-75
Gregório de Tours 48
Gronw 86, 135-137
Gundestrup, caldeirão de 26-30, *28*, *29*, 122, *122*, 131, *140*, 155, *183*, 185
Gwalchmai 95
Gwawl 82
Gwenhwyfar 39
Gwion 27, 119
Gwrhyr 119-120
Gwydion 22, 30, 77, 84-86, 85, 117-118, 135-137, 151, 159-160

Hafgan 47, 81, 181-182
heróis, na mitologia celta 103-105
Hilário, bispo de Poitiers 48
história dos lugares, A (Dinnshenchas) 58
"Hospedaria de Da Derga" 34, 35-37, 58, 101, 126-127, 139, 146

ÍNDICE

Hychdwn 118
Hyddwn 118

Iddawg 96
Imbolc 173, 197
Iolo Morgnnwg, e o Eisteddfod 56
Iorwoerth 96

Javali de Boann Ghulban 75

Kavanagh Horn *100*

Leabhar Gabhála; cf. *livro das invasões, O*
Lindow, Homem de 195
Livro amarelo de Lecan 18, 58
Livro branco de Rhydderch 19
Livro das invasões, O (*Leabhar Gabhála*) 58, 59, 60, 62, 69, 76, 185
Livro de Taliesin, O 27
Livro da Vaca Dun, O 18
Livro vermelho de Hergest 18, 19
Lleu Law Gyffes 53, 68, 77, 80, 84, 86, 135-137, 150, 159-160
Llyr 78, 87
Loeghaire, rei 198
Lucano, *Farsália* 133, 156, 181
Lucat (druida) 198
Luchta 30
Lugh 53, 60, 61, 62, 64, 67-68, 110, 161, 175
Lughnasadh 175
Lydney, Templo de, Floresta de Dean 65-66

Mabinogi (Mabinogion) 39, 54, 57, 80-81, 83, 91, 180
  Primeiro ramo dos, O 46, 54-55, 77, 81, 103, 112, 149, 178
  Segundo ramo dos, O 26, 30, 33, 77, 91, 149, 182
  Terceiro ramo dos, O 15, 77, 86
  Quarto ramo dos, O 20, 22, 30, 77, 84, 117, 135, 136, 150, 159
Mabon o Caçador 78, 80, 119, 120
Mac Caírthinn 170
Mac Cécht 139

"Mac Da Thó, o porco de" 101, 185
Macha 30, 62, 142-144
Madawg 96
Magh Tuiredh, Batalhas de 67-68
maldições 34-36
Manannán mac Lir 62, 78, 161, 164, 190, 197
Manawydan 77, 78, 80, 87-88, 161, 163
Math, rei 77, 80, 84-86, 117-118, 135, 150
Matholwch 77, 91-92, 149
Mathonwy 84
Medbh, rainha 18, 33, 34, 61, 74, 104, 110, 139, 140-141, 145, 165, 180, 191-192
metamorfos 39, 113, 121-124
Mide (druida) 175
Midhir 16-17, 70-71
mito, função do 15-17
Mitológico, Ciclo 18, 58
Modron 119
Mog Ruith 126, 127, 180
Morrígan/Morrigna 30, 33, 53, 61, 62, 63, 110, 111, 112, 113, 117, 124, 139, 180

Naoise 73-74
Navan, Forte, Condado de Armagh 142-143
Nechtan 63, 162
Nehalennia 154
Nemedh 142
Nemglan 126
Nênio, *Historia Brittonum* 97
Nera 191-192
Nerthus 153-154
Newgrange, túmulos de passagem de 59, 60, 168, 169, 190
Niall dos Nove Reféns 147-148
Nodens 65-66
nove, importância mítica do número 94
Nuadu 62, 64-67

Oenghus mac Oc 62, 63, 69, 75, 153, 162, 164, 197
Oisin 193
Oldcroghan Man 194
Olwen 80, 119-120, 129-130
oral, desempenho 19-24

ÍNDICE

Partólomo 59

pássaros, simbolismo dos 124-128, 148

Patrício, São 198

Pedeir Ceinc y Mabinogi; cf. Mabinogi (Mabinogion)

Pedra de Fál 61, 171, 172

Percival 90, 93

Peredur 80, 93, 95

"Peredur" 19, 39-40, 77, 95, 96

pessoas-gato 123

Plínio, *História natural* 157

porco, importância do 129-130

Pryderi 22, 77, 80, 82, 85, 87-88, 112, 115, 175

Pwyll 46-47, 54-55, 77, 80, 81-83, 87, 88, 103, 114, 180, 181-182

Rhiannon 23, 30, 53, 54-55, 77, 78, 80, 81-83, 87-88, 112, 114-115, 140, 149-150

Rhonabwy 80

roubo do gado de Cooley, O; cf. *Táin Bó Cuailnge*

Salmão, mitos 118-120

Salmão de Llyn Llyw 120

Samhain 36, 69, 71, 173, 178

Santo Graal, a busca pelo 19, 90, 93

Scáthach 95, 106, 108

Sequana 53

sídhe 59, 69, 76, 101, 168, 186, 191-192, 196

Sílio Itálico, *Punica* 187

"sonho de Rhonabwy, O" 19, 77, 96

Sulis 53

Tácito, *Anais* 153

Táin Bó Cuailnge (*O roubo do gado de Cooley*) 18, 33, 34, 58, 73, 104, 105-112, 113, 130-131, 133, 140-141, 145, 180, citação de 22, 30, 45, 72, 101, 118, 121, 142, 156, 172

Tanderagee, ídolo 20-21

Tara 34, 67, 71, 75, 131, 141, 159, 169-171, 170

Taranis (Taranucnus) 52, 53

Tarbhfess 131

Tarvostrigaranus (touro com três gruas) *132*

Terynon Twryf Liant 112, 114

tigelas, importância das 88-90; *cf.* também mitos do caldeirão

Tintagel, Cornwall 96

Tolkien, J.R.R., *O senhor dos anéis* 192

três, importância mítica do número 30-33

Tuatha Dé Danann 59, 61, 62, 64, 67-68, 70, 76, 185, 197

Twrch Trwyth, javali de 23, 78, 129-130

Uathach 108

Ui Neill 147

Ulster, Ciclo do 18, 54, 101, 124, 139, 140, 145

viagem de Bran, A 161, 190

viagem de São Brandão, A 49, *51*

visco 158

Wheeler, Sir Mortimer 65

Williams, Edward; cf. Iolo Morgnnwg

xamãs 113, 123, 126-127

Yeats, W.B., "A luta de Cuchulain com o mar" 7

Ysbaddaden 128-130

Sobre a autora

Miranda Aldhouse-Green é professora emérita da Universidade de Cardiff. Especializada no estudo do xamanismo e arqueologia da Idade do Ferro, publicou amplamente sobre os celtas e seu mundo, incluindo: *Dictionary of celtic myth and legend, Exploring the world of the druids, Celtic goddesses: Warriors, virgins and mothers.*